FICHES BREVET

Réforme du collège

NOUVEAU BREVET

Histoire Géographie 3e

Enseignement moral et civique

Florence Holstein
Monique Redouté
Guillaume D'Hoop

D0285542

Hatier

NOTEZ BIEN !

L'achat de cet ouvrage vous permet de bénéficier
d'un **accès gratuit** aux ressources de 3ᵉ
sur **annabac.com** :
podcasts, fiches de cours,
quiz, annales corrigées…

Pour profiter de cette offre, rendez-vous
sur **annabac.com** dans la rubrique
« Vous avez acheté un ouvrage Hatier ? »

Conception maquette : **Favre & Lhaïk**
Mise en pages : **STDI**
Cartographie et schémas : **Philippe Valentin, Vincent Landrin, STDI**
Illustrations : **Lise Herzog**
Iconographie : **Hatier illustration**
Édition : **Aude Marot**

© Hatier, Paris, janvier 2017   ISBN : 978-2-401-02904-0

Achevé d'imprimer par Loire Offset Titoulet à Saint-Etienne - France
Dépôt légal : 02904-0/01 - Décembre 2016

Hatier s'engage pour
l'environnement en réduil
l'empreinte carbone de se
Celle de cet exemplaire e
550 g éq. CO₂
Rendez-vous sur
www.hatier-durable.fr

PAPIER À BASE DE
FIBRES CERTIFIÉES

> Françaises et Français
> dans une République repensée

OK ☐

GÉOGRAPHIE

> Dynamiques territoriales
> de la France contemporaine

OK ☐

ENSEIGNEMENT MORAL ET CIVIQUE

● DÉPLIANT ET RABATS

— • 11 cartes clés
du programme

— • Schéma
des institutions
de la Ve République

— • Chronologie
du programme

— • 3 cartes clés

Crédits iconographiques

p. 31	md	© Hulton Archive / Getty Images
p. 31	mg	Coll. Library of Congress *via* Wikimedia Commons
p. 31	bd	© Bianchetti / Leemage
p. 31	bg	© KEYSTONE-FRANCE
p. 49		ph © Alfred / Sipa Press
p. 50		ph © Spencer Platt / Getty-Images / AFP
p. 65	hg	© La Documentation française
p. 65	bd	ph © Gisèle Freund / La Documentation française
p. 66		ph © Jean-Pierre BONNOTTE/GAMMA-RAPHO

L'épreuve écrite du brevet concerne l'histoire, la géographie, l'enseignement moral et civique et le français.

1 Les modalités de l'épreuve

▶ L'épreuve dure 5 heures. Elle se compose de deux parties :
– la **première partie**, qui concerne les quatre disciplines, a lieu le matin et dure 3 heures ;
– la **seconde partie** concerne uniquement le français (dictée, réécriture et rédaction). Elle a lieu l'après-midi et dure 2 heures.

▶ La première partie se décompose elle-même en deux périodes :
– une **première période**, de 2 heures, est consacrée à l'histoire, à la géographie et à l'EMC ;
– une **seconde période**, d'une heure, porte sur le français.

▶ L'ensemble de l'épreuve est noté sur 100 points :
– dans la première partie, les questions d'histoire et de géographie sont notées chacune sur **20 points**. L'exercice d'EMC compte **10 points** et les questions de français 20 points ;
– dans la seconde partie, la dictée et la réécriture sont notées sur 10 points, et la rédaction sur 20 points.

2 Les exercices d'histoire, de géographie et d'EMC

Trois exercices concernent l'histoire, la géographie et l'EMC.

▶ **Analyser et comprendre des documents** (20 points) : un ou deux documents, ayant trait au programme d'histoire ou de géographie, sont proposés. Ils sont accompagnés de 4 à 6 questions.

▶ **Maîtriser différents langages pour raisonner** (20 points) : l'exercice porte sur la discipline non abordée dans l'exercice précédent (géographie ou histoire). Il s'agit de rédiger un développement construit. Éventuellement, une deuxième question mobilise un autre langage : frise chronologique, schéma, carte, croquis…

▶ **Mobiliser des compétences d'enseignement moral et civique** (10 points) : l'exercice fait référence à une situation pratique. Il est généralement accompagné d'un ou deux documents sur lequel vous sont d'abord posées deux ou trois questions.

Le ou les documents portent sur le programme d'histoire ou de géographie. Cet exercice est guidé par des questions.

1 Comprendre le document

La première question porte sur la nature du document.

> **CONSEIL** Lisez toutes les questions avant de commencer à répondre : cela vous aidera dans la lecture du document.

Pour y répondre, vous devez bien sûr commencer par lire plusieurs fois celui-ci, puis repérer un certain nombre d'éléments.

▶ Sa **nature** : il peut s'agir d'un texte (article de presse, extrait d'un ouvrage, article de loi…), d'un document iconographique (tableau, affiche, photographie…), d'une carte ou encore d'un graphique.

▶ Son **auteur** : homme politique, journaliste, écrivain…

▶ Sa **source** : d'où vient le document ? s'agit-il d'une source fiable ?

▶ Son **thème** général : celui-ci est souvent indiqué dans le titre du document, ou dans la légende s'il s'agit d'une carte.

2 Répondre aux questions

Les questions suivantes doivent vous permettre de dégager le sens des documents, en relation avec le programme.

▶ Vous devrez d'abord **prélever des informations et/ou expliquer un point précis** : par exemple, citer un passage d'un texte, localiser des éléments sur une carte, classer des informations dans un tableau ou décrire brièvement un phénomène.

▶ Souvent, l'une des questions vous conduira à **mettre en relation différents aspects du document** pour construire une réponse plus approfondie. Répondez toujours par des phrases complètes en reprenant les termes de la question. Appuyez-vous sur le cours pour éviter de paraphraser le document.

▶ Enfin, on vous demandera parfois de porter un **regard critique** sur le document : quel est son intérêt ? quelles sont ses limites (est-il objectif ou pas ? défend-il un point de vue ?) ?

Le deuxième exercice comporte un développement construit et éventuellement une tâche graphique. La connaissance du cours est essentielle pour le traiter.

1 Rédiger un développement construit

A Comprendre le sujet

▶ Lisez attentivement la question en soulignant les mots importants.

▶ Puis, **mobilisez vos connaissances** en vous posant les questions suivantes : qui ? quoi ? quand ? où ? pourquoi ? comment ? dans quel contexte ? Notez brièvement les réponses au brouillon.

B Construire le plan

▶ Il s'agit de rédiger un développement construit : vous devez donc construire un plan logique. Celui-ci est parfois suggéré par la question.

▶ Cherchez un « fil conducteur », une **idée directrice** qui relie les parties entre elles. Par exemple, si la consigne demande de « raconter » un événement, suivez l'ordre chronologique. Si elle demande de décrire un phénomène, privilégiez le plan thématique.

C Rédiger la réponse

▶ Rédigez d'abord au brouillon, puis au propre. La **qualité de la rédaction** est essentielle. La longueur attendue (géné-

> CONSEIL Pour chaque exercice, utilisez le vocabulaire spécifique et les mots clés du chapitre concerné.

ralement une vingtaine de lignes) est précisée dans la consigne.

▶ Commencez par une phrase d'introduction qui énonce le sujet et annonce le plan. Faites un paragraphe pour chaque partie, et terminez par une brève conclusion.

2 Réaliser une tâche graphique

▶ En histoire, on pourra vous demander de compléter une **frise chronologique**. Pour cela, apprenez par cœur les dates clés du programme tout au long de l'année (→ RABATS, II-III)

▶ En géographie, vous devrez localiser ou nommer sur un **fond de carte** des repères spatiaux du programme ou compléter une légende.

Cet exercice fait référence à une mise en situation.
Il est généralement accompagné d'un ou deux documents.

1 Répondre aux questions sur les documents

▶ Les deux ou trois premières questions appellent des **réponses brèves** : prélever des informations dans un texte, identifier des personnages ou des symboles sur un document iconographique (affiche électorale, tract…). On ne vous demande pas de présenter le document, ni d'en faire l'analyse.

▶ L'objectif est de vérifier que vous connaissez **les valeurs, les principes, les symboles et les acteurs** essentiels de notre République.

Comme en histoire et en géographie, un vocabulaire spécifique est attendu : vous devez donc être précis.

> CONSEIL En histoire, géographie et EMC, faites des fiches de révision : notez les principaux points de chaque cours et apprenez par cœur les définitions importantes.

2 Répondre à la question de mise en situation

▶ La dernière question fait référence à une **situation pratique** en lien avec le programme : présenter dans une lettre les différents modes d'acquisition de la nationalité française, rédiger un discours précisant ce qu'est la laïcité, expliquer à un camarade pourquoi et comment lutter contre les discriminations, etc.

▶ Parfois, la mise en situation peut prendre la forme d'un **dilemme moral** : autrement dit, une situation pouvant avoir deux issues sans que l'une soit plus juste ou meilleure que l'autre. Vous devez alors réfléchir aux avantages et aux inconvénients de chacune, et rédiger un texte argumenté présentant et justifiant votre choix.

▶ Pour répondre correctement, vous devez **vous projeter** dans la situation proposée, afin de bien comprendre de quoi il s'agit et de rédiger le type de texte qui convient (lettre, article, affichette…). La longueur attendue est précisée dans l'énoncé. Vos arguments doivent être ordonnés et justifiés à l'aide de vos connaissances.

? QUIZ p. 29

Dans quelle mesure les individus ont-ils été marqués par l'expérience combattante de la Première Guerre mondiale ?

1 Une expérience combattante inédite

A Un conflit d'une ampleur considérable (→ DÉPLIANT, I)

▶ En août 1914, la Grande Guerre éclate : elle oppose les **Empires centraux** (Allemagne, Autriche-Hongrie) à l'**Entente** (France, Royaume-Uni, Russie).

▶ À partir de novembre, à l'est de la France, les soldats s'enterrent dans des **tranchées** : c'est le début d'une **guerre de position**.

▶ Le conflit devient **mondial** : les métropoles font appel à leurs colonies, l'Empire ottoman rejoint l'Allemagne pour former la Triple Alliance, tandis que l'Italie rallie l'Entente. Les États-Unis entrent en guerre en avril 1917 et la Russie, secouée par deux révolutions (→ FICHE 7), sort du conflit : c'est le **tournant** de la guerre.

▶ L'Allemagne relance l'offensive avant l'arrivée des Américains, mais, vaincue, elle signe l'**armistice** à Rethondes le 11 novembre 1918.

> **MOT CLÉ** Un armistice est un arrêt des combats. Il ne met pas officiellement fin au conflit, contrairement à un traité de paix.

B Une expérience de la mort de masse

▶ Les batailles sont très longues et meurtrières : à **Verdun** (février-décembre 1916), un soldat meurt chaque minute. La bataille de la **Somme** est la plus violente du conflit. Les hommes suffoquent sous les gaz ou meurent enterrés, démembrés par les explosions d'obus.

▶ De **nouvelles armes** (gaz, lance-flammes, grenades, chars) transforment la façon de se battre. Les assauts sont meurtriers et laissent des séquelles physiques et psychologiques.

▶ Les **conditions de vie** des soldats sont déplorables : ils vivent dans la boue, en présence des cadavres de leurs camarades, de la vermine, des poux et des rats. Les soldats n'ont plus aucune intimité ni hygiène. Ils souffrent de la faim, de la soif, du froid.

2 *Des combattants mobilisés pour « tenir »*

A Le patriotisme défensif

▶ Même si des **mutineries** éclatent en 1917 et que certains soldats désertent, lassés de l'inutilité des offensives de la **guerre d'usure**, la majorité d'entre eux continue de combattre par « devoir ».

▶ Protéger sa famille et la nation motive les « poilus ». La **camaraderie des tranchées**, relayée par des journaux écrits sur le front, les lettres des familles et des marraines de guerre maintiennent le moral des troupes.

▶ La **diabolisation de l'ennemi** alimente la haine et explique que la plupart des combattants aient supporté une expérience aussi longue.

B Le poids de la contrainte

▶ Près de 70 millions d'hommes sont mobilisés pendant la durée du conflit. Les États sont responsables de la **mobilisation**, par le service militaire (France, Allemagne) ou l'appel aux volontaires (États-Unis). Des réservistes sont rappelés et des soldats sont recrutés dans les empires coloniaux.

▶ Dans chaque pays, la **justice militaire** est implacable et les auteurs de mutinerie ou de désertion sont fusillés « pour l'exemple », surtout au début du conflit.

CONCLURE

**La Première Guerre mondiale :
une expérience combattante inédite**

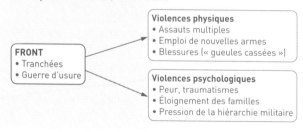

FRONT
• Tranchées
• Guerre d'usure

Violences physiques
• Assauts multiples
• Emploi de nouvelles armes
• Blessures (« gueules cassées »)

Violences psychologiques
• Peur, traumatismes
• Éloignement des familles
• Pression de la hiérarchie militaire

QUIZ p. 29

*Quelle est la place des civils
dans la Grande Guerre ?*

1 La mobilisation de l'arrière dans l'effort de guerre

A Une mobilisation économique et financière

▶ La guerre totale suppose une **mobilisation de tous** : les civils, notamment les femmes, remplacent les hommes partis au front, dans tous les secteurs d'activité. Les matières premières et les produits agricoles sont réquisitionnés pour l'armée.

▶ L'État doit financer l'effort de guerre : il lance donc des **emprunts d'État**, auprès des États-Unis notamment, crée de nouveaux impôts directs (en France, sur le revenu en 1917) ou indirects (loterie nationale). Il augmente la masse monétaire en circulation en émettant de nouveaux billets, entraînant une forte inflation.

> MOT CLÉ **L'inflation**
> est la hausse généralisée des prix.

▶ Les États favorisent le développement des **industries de guerre** qui produisent massivement de nouvelles armes, comme les avions et les chars.

B Des civils soumis à une « culture de guerre »

▶ Afin d'éviter le défaitisme, la presse et le courrier sont censurés. La **propagande** exalte les victoires, tait ou minimise les échecs, diffuse de fausses informations : c'est le « **bourrage de crâne** ».

▶ Tous les supports sont utilisés pour véhiculer une « culture de guerre » : journaux, jouets, images, objets de la vie quotidienne.

2 Les civils, victimes des violences de guerre

A L'effacement des limites entre civils et militaires

▶ Les civils subissent les **violences de guerre**, directement (bombardements, occupation) ou indirectement (accueil des soldats en permission…). 40 % des victimes du conflit sont des civils.

▶ À l'arrière, les conditions de vie sont difficiles : le **rationnement** des civils est établi pour limiter les effets de la **pénurie**.

B Le génocide des Arméniens

▶ Entre 1915 et 1916, 1,5 million d'Arméniens sont éliminés par l'armée ottomane. Ils sont victimes de massacres dans les villes, mais aussi de « **marches de la mort** », au cours desquelles beaucoup meurent d'épuisement ou sont abattus par les soldats.

▶ L'élimination des Arméniens répond à des objectifs religieux et ethniques, car les autorités ottomanes les considèrent comme des traîtres responsables de leurs difficultés militaires. L'élimination programmée, intentionnelle et systématique d'un groupe ethnique, telle celle des Arméniens, est qualifiée de **génocide** (→ FICHE 11).

3 *Des sociétés bouleversées*

A Des sociétés traumatisées

▶ Le bilan de la Première Guerre mondiale est lourd : 9 millions de morts en Europe et 20 millions de blessés dont les « **gueules cassées** », les soldats mutilés par les bombardements. Environ 900 Français et 1 200 Allemands ont péri chaque jour.

▶ Les conséquences de la guerre diffèrent d'un pays à l'autre :
– en France, de nombreux anciens combattants veulent que cette guerre soit la « der des ders » et militent pour le **pacifisme** ;
– en Allemagne et en Italie, le traité de Versailles signé le 28 juin 1919 est vécu comme une humiliation. Jugée responsable de la guerre, l'Allemagne doit payer de lourdes **réparations**. Le pays est désarmé, la Rhénanie démilitarisée. La France recouvre l'Alsace et la Lorraine. Les « terres irrédentes » promises à l'Italie par les Alliés ne lui sont pas cédées.

B Des sociétés en deuil

Les nations européennes organisent la commémoration de la Première Guerre mondiale : les **monuments aux morts** et les cérémonies du 11-Novembre cherchent à construire une mémoire collective. Ils doivent permettre aux familles de faire leur deuil et d'atténuer ainsi leurs souffrances.

CONCLURE
La Grande Guerre a mobilisé aussi bien le front que l'arrière. Elle laisse des sociétés traumatisées et brutalisées par les violences qu'elles ont subies.

? QUIZ p. 29

*Comment, à la tête de l'URSS,
Staline établit-il un régime totalitaire ?*

1 La Russie en révolution

A La révolution de février 1917

▶ En 1917, la Russie est **épuisée par la guerre** : elle a perdu 2 millions d'hommes. En février, la population de Petrograd manifeste pour « du pain et la paix ». Les insurgés s'emparent de la capitale.

▶ Le 2 mars, le tsar **Nicolas II abdique**. Un double pouvoir se met en place : le **Soviet**, élu par les ouvriers et les soldats, et le **gouvernement provisoire**, qui poursuit la guerre.

B La révolution bolchevique d'octobre 1917

▶ Le parti bolchevique, dont les principaux dirigeants sont Lénine et Léon Trotski, prépare une **insurrection**. La révolution, qui se déroule le 25 octobre 1917 à Petrograd, porte Lénine au pouvoir.

▶ Lénine signe à Brest-Litovsk un **armistice** avec l'Allemagne, puis la paix en mars 1918.

C La défense de la Russie bolchevique

▶ Une **guerre civile** (1918-1921) oppose les bolcheviks et l'Armée rouge aux contre-révolutionnaires. L'Armée rouge l'emporte mais le pays est ruiné et la famine sévit.

▶ Lénine instaure une dictature qui s'appuie sur un parti unique, le **parti communiste** (nom du parti bolchevique depuis 1918).

▶ En 1922, la Russie devient un État fédéral et prend le nom d'Union des républiques socialistes soviétiques (**URSS**).

▶ En 1924, **Staline** s'impose au pouvoir face à **Trotski**.

2 Un État socialiste

A Nationalisation et collectivisation

▶ Les industries sont nationalisées. Les paysans doivent travailler dans de vastes exploitations collectives (les **kolkhozes**).

▶ Les paysans aisés, les **koulaks**, résistent mais sont éliminés.

B Planification et industrialisation

▶ Le gouvernement fixe des objectifs de production à atteindre sur des périodes de cinq ans : les **plans quinquennaux**. Le « patriotisme du travail » est exigé de chacun, soit par la contrainte (punitions), soit par l'émulation (primes, **stakhanovisme**).

▶ Pour équiper le pays et mécaniser l'agriculture, l'**industrie lourde** est privilégiée.

3 Un État totalitaire

A Une population embrigadée soumise à un parti unique

▶ À la tête du parti communiste, Staline impose une **dictature** et exige de la population une soumission totale. L'État contrôle tous les domaines : politique, économique, culturel.

▶ Les Soviétiques sont **endoctrinés** par l'enseignement et par des loisirs encadrés. Les opposants sont réduits au silence par la **censure**.

▶ La propagande exalte la supériorité du régime et développe le **culte de la personnalité** de Staline.

B La terreur de masse

▶ La population est surveillée par la **police politique** (NKVD).

▶ Dans les **camps du Goulag**, 5 à 8 millions de déportés vivent dans des conditions inhumaines et travaillent dans les régions hostiles du Nord et de la Sibérie.

> **MOT CLÉ** Le **Goulag** est l'administration des camps de travail forcé où sont déportés, sous Staline, les Soviétiques qui n'adhèrent pas au régime.

▶ Avec les **procès de Moscou** (1936-1939), Staline déclenche la Grande Terreur. Des purges éliminent ses adversaires.

CONCLURE

Le régime totalitaire stalinien

Une économie dirigée	Un régime de terreur	L'endoctrinement des masses
• Collectivisation des terres • Nationalisation des entreprises • Industrie lourde	• Persécutions (koulaks, opposants) • Emprisonnement arbitraire (Goulag) • Grande Terreur	• Propagande (médias) • Culte du chef • Encadrement

? QUIZ p. 29

*Comment l'Allemagne devient-elle
un État totalitaire, raciste et antisémite ?*

1 La nazification de l'Allemagne

A Une démocratie allemande fragile

▶ Le 9 novembre 1918, l'empereur Guillaume II abdique et la **République de Weimar** est mise en place. Dès la signature du traité de Versailles, le nouveau régime doit faire face à des contestations, communistes et nationalistes.

▶ Le **parti nazi** (NSDAP) fondé en 1920 et dirigé par **Adolf Hitler**, entretient une violence politique par le biais des SA (sections d'assaut) et des SS (brigades de protection), dénonçant le « Diktat » (paix dictée).

B Hitler au pouvoir

▶ La **Grande Dépression** permet au NSDAP de rallier les opposants au régime et de devenir le premier parti du pays.

> **INFO** La Grande Dépression est la grave crise économique qui touche le monde à partir de 1929.

▶ Après la victoire du NSDAP aux élections législatives, Hitler est nommé **chancelier** le 30 janvier 1933 par le président Hindenburg. Il obtient, en février, la dissolution du Reichstag.

C L'installation de la dictature

▶ Les libertés fondamentales sont supprimées en mars 1933. Partis politiques et syndicats sont interdits. Hitler obtient les **pleins pouvoirs**. Il est le *Führer* (guide) qui incarne la nation et dirige le peuple.

▶ Le parti nazi devient **parti unique**. Il est lui-même épuré avec l'assassinat des chefs SA, le 30 juin 1934 (Nuit des longs couteaux). À la mort d'Hindenburg (1934), Hitler devient *Reichsführer*, cumulant les pouvoirs de chef d'État et de chef de gouvernement.

2 Le projet nazi

A Un régime totalitaire

▶ Les médias conditionnent les esprits. L'enseignement est contrôlé et la jeunesse embrigadée dans les **Jeunesses hitlériennes**.

▶ La **Gestapo** (la police politique) torture, assassine, déporte les opposants dans des **camps de concentration**, créés dès 1933 (Dachau). En 1939, un million de personnes, opposants et juifs, y sont internées.

B Une politique raciste et eugéniste

▶ Selon les nazis, la **race aryenne**, supérieure, est incarnée par le peuple allemand qui doit disposer d'un « **espace vital** ».

▶ Le peuple allemand doit préserver sa « pureté ». L'**antisémitisme** (la haine des juifs) est un pivot du nazisme, dont l'idéologie est contenue dans l'ouvrage d'Hitler paru en 1925, *Mein Kampf* (*Mon Combat*). Les livres d'auteurs juifs ou marxistes sont interdits et brûlés en public (**autodafés**).

▶ En 1935, les **lois de Nuremberg** interdisent aux juifs de s'unir avec des « Aryens ». Les juifs sont privés de leur citoyenneté et écartés de certaines professions.

▶ Des personnes handicapées sont stérilisées ou tuées dans le but d'améliorer la race : c'est l'**eugénisme**.

C Un projet expansionniste

▶ Pour réaliser la **Grande Allemagne** qui doit rassembler tous les peuples de langue allemande, la Rhénanie est remilitarisée (1936), en violation du traité de Versailles.

▶ Hitler **annexe** ensuite l'Autriche et la région des Sudètes (1938). Les démocraties occidentales, attachées à la paix, réagissent peu lors de la conférence de Munich.

▶ Dans la perspective d'une guerre, l'Allemagne signe avec l'URSS un **pacte de non-agression**, le 23 août 1939. Hitler **envahit** la Pologne (1er septembre 1939) (→ FICHE 10).

CONCLURE

Le régime totalitaire nazi

Une économie dirigée	Un régime de terreur	L'endoctrinement des masses
• Recherche de l'autarcie (produits de substitution : *Ersatz*) • Grands travaux (logements, stades)	• Persécutions (opposants, juifs) • Emprisonnements arbitraires (camps de concentration)	• Propagande • Culte du chef • Embrigadement (Jeunesses hitlériennes)

? QUIZ p. 29

Comment la IIIe République s'adapte-t-elle aux bouleversements du début du XXe siècle ?

1 Une république fragilisée

A Le retour à la paix

▶ Après l'armistice du 11 novembre 1918, le Parlement ratifie le **traité de Versailles** le 28 juin 1919. La France, dévastée par la guerre, se reconstruit.

▶ En 1919 et 1920, les gouvernements modérés doivent faire face à une forte **agitation sociale** qui, à l'exemple de la révolution russe (→ FICHE 7), se développe en France.

▶ En décembre 1920, au **congrès de Tours**, le parti socialiste ou SFIO (Section française de l'Internationale ouvrière) se scinde en deux partis : le parti communiste, qui adhère à la **IIIe Internationale** et qui adopte un programme révolutionnaire, et la SFIO, qui conserve un programme réformiste.

> **MOT CLÉ** La IIIe Internationale est une organisation regroupant tous les partis communistes. Elle est dirigée par le Parti communiste d'Union soviétique (PCUS).

B La France en crise (1929-1936)

▶ En 1931, la France est touchée par la **crise économique mondiale**. Les exportations chutent, les faillites augmentent, mettant au chômage 300 000 personnes. Les revenus diminuent, l'inquiétude et la misère se développent.

▶ Des scandales financiers touchent des parlementaires (affaire Stavisky), instrumentalisés par des ligues d'extrême droite qui manifestent le **6 février 1934**.

▶ La IIIe Internationale recommande l'union de la gauche pour faire barrage au fascisme. Le **Front populaire** résume son programme par le slogan « Pain, Paix, Liberté ». Il emporte 63 % des sièges à la Chambre des députés en mai 1936.

> **MOT CLÉ** Le Front populaire regroupe le parti radical, la SFIO et le parti communiste. Ce dernier ne participe cependant pas au gouvernement.

2 Le Front populaire (1936-1937)

A Les réformes sociales du Front populaire

▶ Le gouvernement du socialiste **Léon Blum** doit faire face à une **grève générale**. Les ouvriers occupent les usines, manifestant ainsi leur espoir de conquérir de nouveaux droits.

▶ Blum organise des négociations entre patronat et syndicats. Les **accords Matignon** (7 juin 1936) prévoient l'extension des conventions collectives ainsi que des augmentations de salaires.

▶ Ces mesures sont complétées par les lois sur la semaine de **40 heures de travail** et les **congés payés** (deux semaines). Les salariés saluent ces avancées sociales avec enthousiasme.

B Les difficultés du Front populaire

▶ L'inflation monétaire et les augmentations de salaires se répercutent sur les prix : l'économie stagne, le **chômage augmente**.

▶ L'extrême droite se déchaîne dans la presse antisémite contre certains membres du gouvernement. Le parti communiste reproche au Front populaire de ne pas intervenir dans la **guerre d'Espagne** aux côtés des républicains (1936).

> **INFO** La guerre d'Espagne (1936-1939) est une guerre civile opposant les partisans de la République et les nationalistes du général Franco.

▶ L'unité du Front populaire se fissure : Blum perd le soutien des radicaux et des communistes. Il **démissionne** en juin 1937.

▶ Les **modérés** reviennent au pouvoir. En septembre 1938, à la conférence de Munich, la France cède aux exigences d'Adolf Hitler sur les Sudètes (→ FICHE 8).

▶ Devant la montée du péril nazi, le réarmement de la France est accéléré.

CONCLURE

Victorieuse en 1918, la France est fragile en 1939. Affaiblie par la crise économique, elle n'est pas prête militairement mais elle a réussi à maintenir un régime démocratique et a donné une place sans précédent au monde ouvrier.

? QUIZ p. 29

*Quelles sont les phases
et les caractéristiques de la Seconde Guerre mondiale ?*

1 Les victoires de l'Axe (1939-1942)

A La guerre éclair

▶ D'avril à juin 1940, le Danemark, la Norvège, la Belgique, les Pays-Bas et la France sont envahis et occupés par l'Allemagne qui applique la tactique de la **guerre éclair** (*Blitzkrieg*). Vaincue, la **France** signe l'armistice le 22 juin 1940.

> **INFO** La guerre éclair suit une tactique de bombardements aériens intensifs suivis de l'occupation du terrain par les blindés.

▶ L'Allemagne prépare un débarquement au **Royaume-Uni** qui, seul dans la guerre, résiste aux bombardements (*Blitz*).

▶ La **Yougoslavie** et la **Grèce** sont occupées au printemps 1941 par les forces italo-allemandes.

B Un conflit planétaire

▶ Rompant le pacte de non-agression qui lui a évité de se battre sur deux fronts, Adolf Hitler attaque l'**URSS** le 22 juin 1941 (opération *Barbarossa*). Une avancée foudroyante fixe le front de Leningrad à Stalingrad en 1942.

▶ Dans le Pacifique, le **Japon** mène une politique expansionniste agressive depuis 1931 (conquête de la Mandchourie). Profitant de la guerre en Europe, il s'empare des colonies européennes en Asie. Puis, le 7 décembre 1941, le Japon détruit la flotte américaine basée à **Pearl Harbor**. Les États-Unis entrent en guerre le lendemain.

▶ Les pays de l'**Axe** (Allemagne, Italie, Japon), qui veulent conquérir de nouveaux territoires et soumettre les nations vaincues à leur idéologie, se trouvent face aux **Alliés**. Ces derniers défendent chacun leur propre idéologie (Royaume-Uni et États-Unis : la démocratie ; URSS : le communisme) contre leur adversaire commun.

C Une guerre totale

▶ Les combats se déroulent sur tous les océans et continents. Au total, **100 millions de soldats** se sont affrontés.

▶ De nouvelles **armes d'anéantissement** sont utilisées : bombes volantes (V1), fusées (V2) et bombe atomique. Les avancées technologiques marquent le conflit (radar).

▶ Les belligérants adoptent une **économie de guerre** et mobilisent les travailleurs.

▶ Dans les pays occupés, l'économie et la main-d'œuvre sont réquisitionnées. L'**idéologie** des vainqueurs est diffusée.

2 La victoire des Alliés (1942-1945) (→ DÉPLIANT, II)

A Les coups d'arrêt

▶ Dans le Pacifique, la victoire américaine de **Midway** (juin 1942) marque le début du reflux japonais.

▶ Les Alliés débarquent en **Afrique du Nord** (novembre 1942), puis en Sicile.

▶ En URSS, l'armée allemande s'empare de **Stalingrad.** La population de la ville lutte héroïquement pour se défendre. Encerclés par l'Armée rouge, les Allemands capitulent le 2 février 1943, déplorant la perte de 300 000 hommes. Cette défaite marque un tournant dans la guerre.

B La défaite de l'Axe

▶ L'Armée rouge libère l'URSS puis les États d'Europe de l'Est.

▶ Les **débarquements alliés en Normandie** (6 juin 1944), puis en Provence, permettent la libération de la France avec l'appui de la Résistance. Paris est libéré le 25 août 1944.

▶ Écrasée sous les bombes (Dresde, Berlin), envahie à l'est et à l'ouest, **l'Allemagne capitule le 8 mai 1945.** Hitler se suicide.

▶ Dans le Pacifique, malgré l'avance américaine, le Japon ne cède pas. Les États-Unis larguent deux bombes atomiques sur **Hiroshima et Nagasaki** les 6 et 9 août 1945. Le Japon signe sa capitulation le 2 septembre 1945.

CONCLURE

Durant six ans d'une guerre planétaire, les combats ont été démesurés, opposant les belligérants pour des enjeux à la fois nationaux et idéologiques.

? QUIZ p. 29

*Pourquoi peut-on dire
que la Seconde Guerre mondiale est le conflit
le plus destructeur de l'histoire ?*

1 Les civils dans la guerre

A Les civils, victimes des bombardements

▶ Les villes sont **bombardées** pour forcer l'adversaire à capituler (*Blitz* à Londres, Normandie, Berlin, Dresde).

▶ Au Japon, les 6 et 9 août 1945, les Américains lancent les deux premières **bombes atomiques** sur Hiroshima et Nagasaki.

B La terreur de l'occupation

▶ Les **États vaincus** par l'Allemagne ou le Japon sont occupés militairement et dirigés par des gouvernements qui collaborent.

▶ Ils paient de **lourds frais** d'occupation. Leurs productions sont réquisitionnées et des millions de travailleurs sont déplacés de force en Allemagne. Partout, les libertés sont supprimées et les médias, censurés, diffusent l'idéologie nazie.

C L'univers concentrationnaire

▶ La **Gestapo** arrête des juifs, prend des otages, traque les résistants. Ils sont torturés, déportés, exécutés.

▶ Dans les **camps de concentration**, toute volonté de résistance est brisée. La mortalité, très élevée (10 millions de victimes), est accrue par les exécutions et les épidémies.

> MOT CLÉ Les camps de concentration sont destinés à isoler les adversaires du nazisme et à fournir une main-d'œuvre travaillant jusqu'à épuisement.

2 Les génocides

A Le génocide des juifs : la Shoah

▶ Les *Einsatzgruppen* (groupes d'intervention formés de SS) suivent les armées en URSS avec pour mission d'exterminer les juifs. Un million d'entre eux périssent, victimes de fusillades, de noyades et de gazages dans des camions.

23

▶ Les nazis enferment les juifs dans des **ghettos** (Lodz, Varsovie, Cracovie). Entassés et affamés, ils sont promis à la mort.

▶ En janvier 1942, les dirigeants nazis décident la « **Solution finale** de la question juive ». Des **centres de mise à mort** sont créés en Pologne (Treblinka, Auschwitz-Birkenau…).

> **MOT CLÉ** Les centres de mise à mort ont pour objectif l'élimination massive et organisée des juifs par gazage à l'arrivée des convois.

▶ Les juifs sont raflés partout en Europe et acheminés par trains à bestiaux vers ces camps de la mort. Après la sélection par les SS, les plus faibles (femmes, enfants, personnes âgées) sont asphyxiés dans les **chambres à gaz** et leurs corps brûlés dans les **fours crématoires**.

▶ **5,1 millions de juifs** sont exterminés pendant le conflit, dont près de 3 millions dans les centres de mise à mort.

B Le génocide des Tziganes

Considérés comme des « êtres asociaux » parce que nomades, les Tziganes sont raflés dans toute l'Europe par les nazis. Environ **220 000** d'entre eux (soit 25 % de la population tzigane d'Europe) sont exterminés selon les mêmes procédés que pour les juifs.

3 *Le conflit le plus destructeur de l'histoire*

▶ En Europe et en Asie, des villes entières ainsi que les infrastructures économiques sont détruites. Des millions de sans-abri subissent les destructions.

▶ **50 millions d'hommes sont morts**, dont 75 % d'Européens. Les civils, victimes de la sous-nutrition, des bombardements, des déportations, des massacres de masse (comme à Nankin en Chine en 1937) constituent 50 % des décès.

▶ En 1945, la **libération des camps** par les Alliés révèle l'insoutenable réalité de l'univers concentrationnaire.

▶ Les Alliés jugent à Nuremberg les chefs nazis responsables de **crimes contre l'humanité** et à Tokyo l'empire japonais.

CONCLURE

Les puissances de l'Axe ont imposé leur implacable domination sur l'Europe et le Pacifique. Jamais l'humanité n'a connu semblable détermination dans l'exécution de crimes contre l'humanité.

? QUIZ p. 29

Comment les résistants européens s'organisent-ils pour faire face à l'occupation nazie pendant la Seconde Guerre mondiale ?

1 L'essor de la résistance européenne

A La naissance de la résistance (1940)

▶ Dès 1940, dans les pays occupés par l'Allemagne nazie, des civils tentent d'agir pour faire face à l'occupant : manifestations d'hostilité (V de la victoire peints sur les murs, célébration des fêtes nationales), actes de **sabotage**. Ces actions sont néanmoins isolées et peu coordonnées.

▶ Les gouvernements néerlandais, tchécoslovaque, polonais ainsi que des responsables politiques ou militaires isolés (général de Gaulle) se réfugient dans le seul pays européen encore en guerre contre l'Allemagne en 1940 : le **Royaume-Uni**.

▶ Depuis Londres, ils cherchent à organiser la **résistance extérieure**, tel de Gaulle avec la France libre : contacts par la radio anglaise, la BBC, avec les résistants intérieurs, filières d'évasion, parachutage d'armes et de matériel dans les pays occupés. Ils font contrepoids à la propagande nazie en diffusant des tracts.

B La résistance s'organise (1941-1943)

▶ En juin 1941, l'URSS est envahie à son tour par l'Allemagne. Les communistes européens, habitués à la lutte politique et parfois à la clandestinité, viennent grossir les rangs des **partisans**. Liés auparavant par le pacte germano-soviétique, ils sont désormais nombreux à rejoindre les **maquis**.

> **MOT CLÉ** Les partisans sont des résistants qui combattent derrière les lignes allemandes. Les résistants vivent dans la clandestinité dans des lieux inaccessibles appelés « maquis » (zones montagneuses, forêts).

▶ Un deuxième foyer de coordination des mouvements de résistance s'installe à Moscou. Il abrite les chefs des partis communistes européens en **exil**.

▶ À partir de 1942, les réfractaires au **Service du travail obligatoire** (STO) viennent gonfler les effectifs de « l'armée des ombres ».

▶ Les résistants s'organisent en **mouvements**, souvent à partir d'un journal clandestin, d'un groupe armé ou d'un réseau de renseignements (→ FICHE 13).

▶ Dans les ghettos (Varsovie en 1943) et même dans les camps de concentration, des **révoltes** éclatent, sans armes et sans aucune chance de survie.

2 Le rôle de la résistance dans la libération de l'Europe

A Des résistants traqués

▶ Traqués par la police politique allemande (**Gestapo**), les SS et les **milices** formées des collaborateurs, les résistants vivent dans la clandestinité. Ils risquent d'être arrêtés, torturés et même déportés.

> MOT CLÉ Une milice est une organisation paramilitaire traquant les résistants.

▶ Pour encourager les dénonciations, la Gestapo exécute des otages en représailles d'actes de résistance.

B Les actions des résistants

▶ Les résistants gênent les communications en dynamitant des ponts et des voies ferrées lors des **débarquements** alliés en Italie et en Normandie (6 juin 1944).

▶ Incorporés dans l'armée, ils participent également à l'**invasion de l'Allemagne**.

▶ Dans certains pays (Yougoslavie) ou régions (Limousin), les mouvements de résistance intérieure reprennent seuls le contrôle du territoire en repoussant l'ennemi. En Tchécoslovaquie, en Pologne, ils libèrent des déportés épuisés après les « **marches de la mort** ».

▶ Pendant la guerre, les résistants élaborent des programmes politiques (**programme du Conseil national de la Résistance** en France → FICHE 25). Dans de nombreux pays, ils siègent dans les gouvernements d'après-guerre.

CONCLURE

Minoritaires et peu nombreux, les résistants européens s'organisent progressivement et participent à la libération de l'Europe.

? QUIZ p. 29

Quels sont les aspects du régime de l'État français et comment la Résistance le combat-elle ?

1 *Une France défaite et occupée*

A La débâcle

▶ Après la « **drôle de guerre** », la France est rapidement vaincue (tactique de la « guerre éclair » → FICHE **10**). Elle est envahie jusqu'à la Loire. Huit millions de Français prennent la fuite : c'est **l'exode**.

▶ Nommé président du Conseil, le maréchal Philippe Pétain signe, le 22 juin 1940, un **armistice** qui organise l'occupation du territoire.

B La France occupée

▶ La France est désarmée et doit payer de lourds frais d'occupation. Elle est administrée par l'Allemagne nazie en **zone occupée**, au Nord, et par le gouvernement français installé à Vichy, en **zone libre**, au Sud (envahie en novembre 1942).

▶ Le 10 juillet 1940, le Parlement vote les pleins pouvoirs constituants au maréchal Pétain qui instaure un **régime autoritaire et réactionnaire : l'État français**.

2 *L'État français et la collaboration*

A Un régime de dictature

▶ Pétain établit une **dictature personnelle** : les partis politiques et les syndicats sont dissous. Le droit de grève est interdit.

▶ L'État français exerce une **politique d'exclusion** : socialistes, communistes et francs-maçons sont traqués.

▶ Le régime de Vichy pratique une **politique antisémite**. Dès 1940-1941, deux lois portant sur le statut des juifs excluent ces derniers de certaines professions et confisquent leurs entreprises. En 1942, les juifs doivent se faire recenser et porter l'étoile jaune.

B La révolution nationale

▶ Pétain veut créer un « **ordre nouveau** » par un retour aux valeurs traditionnelles. La devise « Travail, Famille, Patrie » remplace la devise républicaine.

▶ En octobre 1940, Pétain rencontre Adolf Hitler à Montoire et « entre dans la voie de la **collaboration** ».

▶ Vichy envoie des travailleurs en Allemagne pour le Service du travail obligatoire (**STO**) et participe aux **rafles des juifs** (rafle du Vélodrome d'Hiver le 16 juillet 1942). Les Allemands déportent 85 000 juifs en Allemagne. Une police spéciale, la **Milice**, appuie la Gestapo dans sa traque des juifs et des résistants.

3 La Résistance face aux nazis et à l'État français

A La Résistance extérieure

▶ Le **général de Gaulle** fonde la France libre, dotée d'un gouvernement et d'une armée, les Forces françaises libres (**FFL**).

> DATE CLÉ Le 18 juin 1940, alors que Pétain a demandé à signer l'armistice, de Gaulle lance, depuis Londres, un appel à la résistance.

▶ De Gaulle s'adresse aux Français et aux résistants intérieurs par la radio anglaise, la BBC.

B La Résistance intérieure

▶ En **zone dite libre**, des Français se regroupent en grands mouvements clandestins (Combat, Libération, Franc-Tireur).

▶ En **zone occupée**, des associations clandestines, très cloisonnées, se forment (Libération-Nord).

C L'unification de la Résistance

▶ **Jean Moulin** est chargé par de Gaulle d'unifier les différents mouvements de la Résistance intérieure. Il crée en mai 1943 le **Conseil national de la Résistance** (CNR).

▶ En mars 1944, les différents réseaux se regroupent dans les Forces françaises de l'intérieur (**FFI**).

▶ Dès le **débarquement allié en Normandie** (6 juin 1944), les FFL combattent avec les Alliés. Les FFI ralentissent l'arrivée des renforts allemands et libèrent certains territoires.

▶ Le 25 août 1944, l'armée allemande signe sa reddition à Paris.

CONCLURE

De 1940 à 1944, la République est effacée par le régime de dictature de Vichy. Selon de Gaulle, « elle n'avait jamais cessé d'être » à travers la France libre et la Résistance.

L'Europe, un théâtre majeur des guerres totales (1914-1945)

1 *La Première Guerre mondiale*

La Première Guerre mondiale est une guerre de position car :
- ☐ a. les soldats sont enterrés dans des tranchées.
- ☐ b. c'est une guerre d'usure, les batailles sont très longues.
- ☐ c. elle tue plus de civils que de militaires.

2 *Les régimes totalitaires stalinien et nazi*

Placez les numéros suivants dans le tableau.

1. Gestapo 2. communisme 3. Adolf Hitler. 4. Goulag.
5. Staline. 6. parti nazi. 7. parti communiste. 8. nazisme.

	URSS	Allemagne nazie
Une idéologie		
Un parti unique		
Un chef tout-puissant		
La terreur		

3 *La France entre les deux guerres*

Quelles mesures sociales sont votées par le Front populaire ?
- ☐ a. Deux semaines de congés payés.
- ☐ b. Des conventions collectives et des hausses de salaire.
- ☐ c. La Sécurité sociale et le salaire minimum.

4 *La Seconde Guerre mondiale*

Le nombre de morts de la Seconde Guerre mondiale s'élève à :
- ☐ a. 75 millions   ☐ b. 50 millions   ☐ c. 8 millions

5 *Collaboration et Résistance*

	Vrai	Faux
1. En 1940, le général de Gaulle fonde la France libre.	☐	☐
2. Le régime de Vichy dirige la zone occupée de la France.	☐	☐

1 *La Première Guerre mondiale*

Fiches **5 et 6**

Réponses a. et b. Les hommes sont mobilisés au front où ils s'enterrent dans des tranchées. Les batailles, comme celle de Verdun, durent des mois ; les assauts, souvent nocturnes, sont quotidiens et souvent inutiles. Le conflit tue environ 40 % de civils et 60 % de militaires.

2 *Les régimes totalitaires stalinien et nazi*

Fiches **7 et 8**

Allemagne nazie : 1, 3, 6, 8.
URSS : 2, 4, 5, 7.

Les régimes totalitaires suppriment la démocratie et imposent leur idéologie. Un parti unique et un chef tout-puissant exercent un pouvoir dictatorial. La population est soumise par la propagande. La police politique (la Gestapo en Allemagne) applique la terreur de masse et isole les opposants dans des camps de concentration (le Goulag en URSS).

3 *La France entre les deux guerres*

Fiche **9**

Réponses a. et b. Les conventions collectives sont des accords passés par branche d'activité concernant les conditions de travail. Elles existent depuis les accords Matignon signés sous l'arbitrage du Front populaire. Les deux semaines de congés payés viennent compléter ces mesures en faveur du monde ouvrier. La Sécurité sociale et le salaire minimum ne seront votés qu'en 1945 et 1950.

4 *La Seconde Guerre mondiale*

Fiches **10 et 11**

Réponse b. Les morts de la Seconde Guerre mondiale sont pour 50 % des civils (bombardements, déportations, massacres, génocides). Environ 6 millions de juifs et 120 000 Tziganes ont été victimes des génocides.

5 *Collaboration et Résistance*

Fiches **12 et 13**

1. **Vrai.**
2. **Faux.** En 1940, la zone Nord est envahie par l'Allemagne nazie qui occupe et dirige cette partie du territoire. L'autorité de l'État français, représentée par le maréchal Pétain, s'exerce sur la zone libre, au Sud.

L'Europe, un théâtre majeur des guerres totales (1914-1945)

● La Première Guerre mondiale (1914-1918) L'entre-deux-guerres

▶ La Première Guerre mondiale est une guerre inédite par sa longueur et par sa violence. C'est aussi une **guerre totale** : les États mobilisent l'économie, la population et les esprits. 9 millions d'hommes périssent.

▶ **En Russie, Lénine** prend le pouvoir en 1917. Il établit une dictature et contrôle l'économie dans un contexte de guerre civile. Il souhaite instaurer une société communiste, sans classes sociales ni propriété privée.

▶ À partir de 1924, **Staline** s'impose **à la tête de l'URSS**. Il renforce la dictature et soumet la population. Il met en place une planification quinquennale et impose la collectivisation.

▶ **En Allemagne, Adolf Hitler** accède légalement au pouvoir en 1933. Il met rapidement en place une dictature et, conformément à l'idéologie nazie, multiplie les mesures antisémites. Il prépare l'expansion de l'Allemagne.

▶ Dans les années 1930, la IIIe République est ébranlée par une **crise** économique, sociale et politique. En 1936, le gouvernement du **Front populaire**, dirigé par **Léon Blum**, adopte de grandes réformes sociales (loi des 40 heures, congés payés).

● La Seconde Guerre mondiale (1939-1945)
Collaboration et Résistance

▶ La Seconde Guerre mondiale se déroule sur **deux grands théâtres d'opérations** : l'Europe-Afrique du Nord et le Pacifique. Les puissances de l'Axe (Allemagne, Italie, Japon) remportent d'abord des succès nombreux et rapides. Puis, à partir de 1942, les défaites s'enchaînent jusqu'à la capitulation en 1945.

▶ C'est une **guerre totale** où chaque État mobilise toutes ses ressources pour gagner. C'est aussi une **guerre d'anéantissement** où la brutalité atteint des niveaux inégalés. Le conflit fait environ 50 millions de morts, dont la moitié de civils.

▶ Durant le conflit, l'Allemagne nazie organise le **génocide des juifs et des Tziganes,** assassinés dans les centres de mise à mort. Les opposants et les résistants meurent d'épuisement dans des camps de concentration.

▶ Dans les pays occupés, la **Résistance** s'organise à partir de groupes de partisans et d'hommes en exil à Londres ou à Moscou. La résistance européenne participe à la Libération à partir de 1944.

▶ De 1940 à 1944, la France vit sous un régime autoritaire, réactionnaire, collaborationniste et antisémite : l'**État français**, dirigé par le maréchal **Pétain**.

▶ La Résistance s'organise : à l'extérieur, la **France libre** est dirigée par **de Gaulle** ; à l'intérieur, différents mouvements sont unifiés par **Jean Moulin** en 1943.

▶ LES DÉFINITIONS CLÉS

crime contre l'humanité	Défini en 1945, lors du procès de Nuremberg, comme « l'assassinat, l'extermination, l'asservissement, la déportation et tout acte commis contre toute population civile pour des motifs politiques, raciaux ou religieux ».
génocide	Extermination volontaire et méthodique de tout un peuple. Pour désigner le génocide des juifs, on emploie aussi le terme hébreu *Shoah* (catastrophe).
guerre totale	Mobilisation par les États en guerre de toutes leurs ressources pour soutenir l'effort de guerre.

Récap' express

Pourquoi et comment, à partir de 1945, les peuples colonisés accèdent-ils à l'indépendance ?

1 Les causes de l'émancipation des colonies

A Une Europe affaiblie après la Seconde Guerre mondiale

▶ Pendant le conflit, les **métropoles** ont promis des réformes en échange de la fidélité de certaines colonies. En 1945, celles-ci attendent une juste récompense pour leur loyauté.

> MOT CLÉ Une métropole est un territoire à la tête d'un empire colonial.

▶ En Asie, le Japon a alimenté une intense **propagande anticoloniale**.

B La montée de l'anticolonialisme

▶ En réaction à la présence étrangère et à l'exploitation économique, des **mouvements nationalistes** sont nés (Tunisie, Inde).

▶ Les **principes démocratiques**, diffusés par les métropoles mais en contradiction avec le système colonial, se retournent contre elles.

C Un contexte international défavorable au colonialisme

▶ Les **États-Unis** (ex-colonie anglaise) font pression sur le Royaume-Uni afin qu'il accorde l'indépendance à ses colonies.

▶ L'**URSS** et la **Chine** communistes, hostiles à l'impérialisme, veulent étendre chacune leur propre vision du communisme.

▶ L'**Organisation des Nations unies (ONU)**, créée en 1945, défend la liberté des peuples et prend position contre le colonialisme.

2 La décolonisation commence en Asie (1947-1954)

A L'indépendance par la négociation

▶ Dans les **Indes britanniques**, le Congrès national indien, dirigé par Nehru, réclame l'indépendance depuis 1885. En 1919, Gandhi lance un mouvement non violent de désobéissance civile.

▶ En 1947, l'indépendance est accordée. L'opposition entre hindous et musulmans entraîne la **partition** en deux États, l'Inde et le Pakistan. 12 millions de personnes sont déplacées.

B L'indépendance par la guerre

▶ Après une guerre, l'**Indonésie** (ex-Indes néerlandaises) accède à l'indépendance en 1949.

▶ En **Indochine**, le Vietminh, nationaliste et communiste, dirigé par Hô Chi Minh, s'oppose à l'armée française dès 1946. En 1954, après la défaite de Diên Biên Phu, la France reconnaît l'indépendance du Cambodge, du Laos et du Vietnam (divisé en deux États).

3 *La décolonisation en Afrique (1954-1980)*

A L'indépendance progressive des colonies britanniques

▶ Le **Ghana** (1957) ou le **Nigeria** (1960) négocient sans heurts leur indépendance.

▶ Le **Kenya** accède plus difficilement à l'indépendance en 1963, après 11 ans de rébellion contre l'autorité britannique. En 1980, les Britanniques accordent l'indépendance à la Rhodésie du Sud sous le nom de **Zimbabwe**.

B L'indépendance des colonies françaises

▶ Après des troubles, le **Maroc** et la **Tunisie** obtiennent de la France, empêtrée dans la guerre d'Algérie (→ FICHE 17), leur indépendance en 1956.

▶ Dans les colonies françaises d'Afrique noire, l'autonomie réclamée par les nationalistes modérés (Senghor au Sénégal, Houphouët-Boigny en Côte d'Ivoire) est accordée aux États d'**Afrique subsaharienne francophone**, au sein de l'Union française, en 1956. En 1960, leur indépendance est acquise.

C L'indépendance des colonies belges et portugaises

▶ Le **Congo belge** obtient l'indépendance en 1960, après de violentes émeutes. Les Belges quittent le **Rwanda** et le **Burundi** en 1962, alors que les premières tensions naissent entre Hutus et Tutsis.

▶ Le Portugal accorde l'indépendance au **Mozambique** en 1974 et à l'**Angola** en 1975. Mais les deux pays sombrent dans la guerre civile.

C O N C L U R E

En 1975, la décolonisation est presque achevée en Afrique et en Asie. La naissance de dizaines de pays africains et asiatiques bouleverse la géopolitique mondiale.

Pourquoi l'Algérie accède-t-elle à l'indépendance dans la violence ?

1 Les origines de la guerre en Algérie

A Un territoire particulier

▶ Conquise en 1830, l'Algérie est une **colonie de peuplement** qui abrite environ 1 million d'Européens pour 8,5 millions d'Algériens musulmans.

▶ Intégrée au territoire français, l'Algérie est divisée en trois départements. Malgré l'existence d'une assemblée algérienne, le pouvoir appartient en réalité au gouverneur et à l'**administration française**.

B Une société inégalitaire

▶ Les Français d'Algérie (**pieds-noirs**) sont des urbains (commerçants, salariés) ou de grands propriétaires fonciers.

▶ Les Algériens, peu scolarisés, sont ouvriers agricoles ou petits commerçants. Ils sont nombreux à venir gonfler la population des villes où la **pauvreté** augmente.

C La montée du nationalisme algérien

▶ Le 8 mai 1945, à **Sétif** et Guelma où des défilés sont organisés pour fêter la victoire, des violences font de nombreuses victimes.

▶ Après la **répression** de ces manifestations, le nationalisme algérien se radicalise. Le Front de libération nationale (FLN) réclame l'**indépendance** et préconise l'insurrection.

2 Le conflit algérien

A Les débuts de la guerre

▶ Le **1er novembre 1954**, des attentats éclatent dans tout le pays. C'est la première action du FLN et de sa branche armée, l'ALN.

▶ Le FLN se signale par des attentats et une action de **guérilla** qui s'amplifie de 1955 à 1956. En 1956, le gouvernement envoie le **contingent** (400 000 jeunes qui font un service militaire de 18 mois) pour y effectuer des « opérations de maintien de l'ordre ».

B L'enlisement

▶ Élu en 1956 pour faire la paix en Algérie, Guy Mollet enfonce le pays dans la guerre et couvre les exactions de l'armée. L'armée gagne la **bataille d'Alger** en 1957 en utilisant la **torture**.

▶ Les militaires cherchent à désolidariser les Algériens des nationalistes. Certains combattent aux côtés des Français : les **harkis**.

C La chute de la IVᵉ République

▶ En France, l'**impuissance politique** est totale : de mai 1957 à mai 1958, quatre gouvernements se succèdent.

▶ Le **13 mai 1958**, à Alger, des manifestants pieds-noirs réclament le retour du général de Gaulle.

▶ Le 1ᵉʳ juin 1958, de Gaulle est nommé président du Conseil. L'Assemblée le charge de préparer une **nouvelle constitution**.

3 Une fin de conflit violente

A Une guerre qui gagne la métropole

▶ Élu président de la Vᵉ République, de Gaulle propose en septembre 1959 le droit à l'**autodétermination** du peuple algérien.

▶ Les **partisans de l'Algérie française** s'y opposent : les pieds-noirs, l'Organisation de l'armée secrète (**OAS**) et une partie de l'armée. Ces derniers organisent deux rébellions qui échouent : la « semaine des barricades » en janvier 1960 et le « putsch des généraux » en avril 1961.

▶ La violence gagne la **métropole**. Lors d'une manifestation à Paris le 17 octobre 1961, près de 200 Algériens sont tués par la police.

B L'indépendance de l'Algérie

800 000 pieds-noirs rentrent en France. Après l'indépendance, plus de 60 000 **harkis** sont massacrés en Algérie et l'OAS commet des attentats en France.

> DATES CLÉS En mars 1962, les accords d'Évian prévoient le cessez-le-feu. Le 3 juillet 1962, l'indépendance est proclamée.

CONCLURE

La guerre d'Algérie constitue pour la France l'apogée de la contestation coloniale. Ce conflit se solde par la fin de la IVᵉ République, le retour au pouvoir du général de Gaulle et l'indépendance de l'Algérie.

? QUIZ p. 47

Comment, après 1945, le monde se partage-t-il en deux puissances antagonistes ?

1 Le monde en 1945

A La création de l'ONU

▶ En juin 1945, l'**Organisation des Nations unies (ONU)** est créée avec la signature par 51 États de la Charte des Nations unies.

▶ L'ONU a pour buts de maintenir la paix, de défendre l'indépendance des peuples et les Droits de l'homme.

B Une nouvelle hiérarchie des puissances

▶ L'**Europe** est ruinée par la guerre. Son rôle économique et diplomatique est effacé.

▶ Les **États-Unis** demeurent la première puissance économique et financière. Ils sont les seuls, jusqu'en 1949, à détenir l'arme atomique.

▶ L'**URSS** a tiré de sa lutte contre le nazisme un grand prestige. Elle étend son influence en Europe.

2 La naissance d'un monde bipolaire (→ DÉPLIANT, III)

A La rupture de 1947

▶ Libérés des nazis par les Soviétiques, les États d'Europe de l'Est sont occupés par l'Armée rouge. L'URSS y impose des **démocraties populaires** dans lesquelles le parti communiste local est le parti unique.

▶ Le président américain Truman présente alors sa théorie de l'**endiguement**. Il propose une aide financière pour la reconstruction (**plan Marshall**), que seule l'Europe occidentale accepte.

B La mise en place des blocs

▶ Le **bloc de l'Ouest** (États-Unis et Europe occidentale) forment en 1949 l'Organisation européenne de coopération économique (OECE), chargée de répartir l'aide Marshall, et l'Organisation du traité de l'Atlantique nord (OTAN), alliance militaire.

▶ Le **bloc de l'Est** (l'URSS et démocraties populaires) se regroupent dans le Conseil d'aide économique mutuelle (CAEM) et dans le pacte de Varsovie en 1955.

3 La guerre froide

A Un conflit idéologique entre deux modèles

La guerre froide est une période de **forte tension** entre les deux Grands. Ils s'affrontent indirectement parce que leur idéologie s'oppose et qu'ils possèdent tous deux la bombe atomique. Toute opposition directe est impossible : c'est « l'équilibre de la terreur ».

	Modèle politique	Modèle économique
URSS	• Démocratie populaire (parti unique) • **But** : construire une société sans classes	• **Communisme** : mise en commun des moyens de production, planification, priorité à l'industrie lourde
États-Unis	• Élections libres • Régime parlementaire • **But** : diffuser la démocratie et les Droits de l'homme	• **Capitalisme** : propriété privée des moyens de production, recherche du profit, libre-échange

B Un conflit de puissance : la question allemande

▶ En 1945, les Alliés divisent l'Allemagne et Berlin en **quatre zones d'occupation** (américaine, britannique, française, soviétique) (→ DÉPLIANT, III).

▶ En 1948, Staline, souhaitant récupérer Berlin, isole les quartiers occidentaux. Pendant un an, les États-Unis ravitaillent la ville par un pont aérien. Staline lève le **blocus** en mai 1949.

> MOT CLÉ Un blocus consiste à couper le ravitaillement ou les communications d'une zone par la force.

▶ En 1949 sont créées la République fédérale d'Allemagne (**RFA**) et la République démocratique allemande (**RDA**), situées de part et d'autre du « rideau de fer ».

▶ Après la mort de Staline (1953), le bloc de l'Est est fragilisé par des révoltes à Berlin-Est, en Pologne et en Hongrie.

▶ Le 13 août 1961, les dirigeants de la RDA édifient un **mur entre Berlin-Est et Berlin-Ouest** pour stopper la fuite des Allemands de l'Est.

CONCLURE

Les antagonismes entre les deux Grands et la menace réelle d'une guerre capable de détruire la planète conduisent à une confrontation indirecte.

? QUIZ p. 47

*Quels bouleversements
géopolitiques mettent fin à l'affrontement entre
les États-Unis et l'URSS et au monde bipolaire ?*

1 *La détente (1962-1975)*

A Une détente nécessaire

► En 1962, la **crise de Cuba** plonge le monde « au bord du gouffre » : les États-Unis découvrent des rampes de lancement de missiles sur l'île de Cuba, territoire communiste. Le président américain John F. Kennedy place l'île sous **embargo** et menace l'URSS de Nikita Khrouchtchev, qui recule.

► En 1972, les **accords SALT I** limitent les armes stratégiques. Par les **accords d'Helsinki** (1975), les deux blocs s'engagent à respecter les frontières de l'Europe et les Droits de l'homme.

B La remise en cause d'un monde bipolaire

► Lors des conférences de Bandung (1955) et de Belgrade (1961), les nouveaux États indépendants affirment leur volonté de « **non alignement** » : c'est la naissance du **tiers monde**.

► À l'Est, la Chine communiste se pose en modèle concurrent de l'URSS ; à l'Ouest, la France se dote de l'arme nucléaire en 1960 et retire ses forces de l'OTAN en 1966.

C La persistance des crises

► Les États-Unis échouent au **Vietnam** Sud contre la guérilla communiste soutenue par le Vietnam Nord, l'URSS et la Chine. Ils se retirent en 1973.

► **Israël**, soutenu par le bloc de l'Ouest, remporte les guerres des Six-Jours (1967) et du Kippour (1973) sur les pays arabes voisins soutenus par l'URSS.

2 *Un regain de tension (1975-1985)*

A L'affaiblissement de la puissance américaine

► Les États-Unis perdent l'alliance de l'**Iran** après la prise du pouvoir par les islamistes (1979).

▶ En 1979, l'Armée rouge entre en **Afghanistan** pour défendre le régime communiste contre lequel la population résiste. L'URSS étend sa **zone d'influence** en Afrique, en Asie du Sud-Est et en Amérique centrale.

B *« America is back »*

▶ En 1980, le président américain Ronald Reagan lance une nouvelle course à l'armement. Des **euromissiles** soviétiques (SS 20) sont pointées sur les bases de l'OTAN, qui braque ses fusées sur l'URSS.

▶ En 1983, Reagan annonce la création d'un **bouclier spatial antimissile** au-dessus des États-Unis.

3 *L'effondrement du communisme et de l'URSS*

A Les réformes de Gorbatchev

▶ À partir de 1985, Mikhaïl Gorbatchev libéralise progressivement l'économie (**perestroïka**), étayée par la **glasnost** (transparence). Mais la pénurie et le chômage engendrent une contestation du régime.

▶ Dans un souci de **détente**, les euromissiles sont détruits (1987) et les armements stratégiques réduits (1991). En 1989, les Soviétiques quittent l'Afghanistan.

▶ Encouragées par Gorbatchev, les **démocraties populaires** se soulèvent. Des élections libres et pluralistes ont lieu.

> DATES CLÉS À Berlin, le « mur de la honte » est abattu le 9 novembre 1989. L'Allemagne est réunifiée en octobre 1990.

B L'éclatement de l'URSS et la fin de la guerre froide

▶ Les **républiques d'URSS** proclament leur indépendance. L'URSS disparaît en décembre 1991.

▶ L'éclatement de l'ex-URSS désagrège le bloc de l'Est : le pacte de Varsovie et le CAEM sont dissous. Les anciennes démocraties populaires d'Europe adoptent un **régime démocratique** et un **système économique capitaliste**.

▶ Elles rejoignent l'ancien bloc de l'Ouest avec l'adhésion à l'OTAN et entrent dans l'Union européenne en 2004 (→ DÉPLIANT, IV).

CONCLURE

La dislocation du bloc de l'Est a fait cesser l'antagonisme entre deux blocs constituant une menace pour le monde.

? QUIZ p. 47

*Quelles sont les étapes
de la construction européenne ?*

1 Les débuts de la construction européenne

A Les objectifs d'une coopération européenne

▶ Après la Seconde Guerre mondiale, six États d'Europe de l'Ouest se rapprochent afin de **préserver la paix**, supprimer les rivalités économiques et favoriser le développement.

> INFO Les six États qui mettent en place la coopération européenne sont la Belgique, la France, l'Italie, le Luxembourg, les Pays-Bas et la RFA.

▶ Ces États sont attachés aux valeurs de la **démocratie**. Ils appartiennent au bloc de l'Ouest et adhèrent à l'OTAN.

B Les traités fondateurs et les premières réalisations

▶ En 1951, les six États créent la Communauté européenne du charbon et de l'acier (**CECA**) qui établit la libre circulation de ces produits entre ces pays.

▶ Le 25 mars 1957, ils signent deux traités à Rome qui fondent la Communauté économique européenne (**CEE**), dont l'objectif est la libre circulation des marchandises, des capitaux et des hommes, et la Communauté européenne de l'énergie atomique (**CEEA**).

▶ En 1962, la Politique agricole commune (**PAC**) est mise en place. En 1968, la réalisation du **Marché commun** établit le libre-échange à l'intérieur de la CEE.

C Élargissement et approfondissement du projet européen

▶ La CEE s'ouvre au **Nord** en 1973. Puis elle accueille des États du **Sud** (→ DÉPLIANT, IV).

▶ Les institutions européennes s'organisent : le **Conseil européen** (1974) propose des projets à la Commission européenne (à Bruxelles) qui fait appliquer les directives et les règlements. Le **Conseil des ministres** de l'UE vote les décisions proposées par la Commission.

▶ Le **Parlement européen**, à Strasbourg, élu à partir de 1979, vote le budget et contrôle la Commission. La **Cour de Justice**, à Luxembourg, veille au respect du droit communautaire.

2 L'Europe de Maastricht

A Un nouveau projet

▶ La fin de la guerre froide (1989) redonne du dynamisme à l'Europe.

▶ Le **traité de Maastricht** (1992) fonde une véritable citoyenneté européenne : les individus peuvent résider librement dans la communauté. Il crée un nouveau domaine communautaire : la Politique étrangère et de sécurité commune (PESC).

▶ En 1995, la mise en place de l'**espace Schengen** permet la libre circulation des personnes dans la majorité des pays membres de l'UE.

▶ Une **monnaie commune**, l'euro, entre en circulation dans 11 pays en 2002 et concerne 19 pays en 2015.

B Une Europe élargie (→ DÉPLIANT, IV)

▶ En 1995, l'UE accueille l'Autriche, la Finlande et la Suède. En 2001, le **traité de Nice** réforme les institutions afin d'accueillir de nouveaux membres.

▶ Entre 2004 et 2013, l'UE passe de 15 à 28 membres.

3 Quel avenir pour l'Europe ?

A Une Europe à réformer

▶ En 2005, les Français et les Néerlandais **rejettent le projet de Constitution européenne**.

▶ En 2009, le Parlement européen ratifie le **traité de Lisbonne** sans l'avis des populations : il augmente les pouvoirs du Parlement européen et crée le poste de président du Conseil européen.

B Une Europe dans l'impasse ?

▶ La ratification des traités de Maastricht, de Nice et de Lisbonne est difficile. Certains États négocient des **dérogations** pour ne pas participer à un domaine de la politique communautaire.

▶ L'**euroscepticisme** augmente, aggravé par la crise financière qui touche la Grèce à partir de 2008. En juin 2016, le Royaume-Uni décide par référendum de sortir de l'UE (**Brexit**).

CONCLURE

De la CEE et l'UE, le projet européen étend ses compétences et accueille de nouveaux membres. Il est néanmoins confronté à l'euroscepticisme.

(→ RABATS, IV-V)

? QUIZ p. 47

*Depuis la fin du monde bipolaire,
quels nouveaux rapports de force les acteurs
de la géopolitique ont-ils établis ?*

1 Les États-Unis, une superpuissance fragilisée

A Une puissance sans égale

▶ Économiquement, culturellement et militairement, les États-Unis réunissent tous les critères de la **superpuissance**.

▶ Depuis l'effacement de la Russie, ils jouent le rôle de « gendarme du monde ». En 1991, avec l'aval de l'Organisation des Nations unies (ONU), ils interviennent dans la **guerre du Golfe**, libérant le Koweït occupé par l'Irak. Ils mènent alors une politique **multilatérale**.

▶ Leur **forte influence** à l'ONU incite l'Organisation à intervenir dans des conflits locaux où les populations s'affrontent dans des guerres d'une extrême violence (génocide des Tutsis par les Hutus au Rwanda en 1994 ; génocide des musulmans bosniaques par les Serbes en Bosnie-Herzégovine en 1995).

B Une puissance contestée

▶ Certaines organisations islamistes radicales pratiquent le **terrorisme**, pour déstabiliser les gouvernements, au Maghreb et au

> **MOT CLÉ** L'intégrisme religieux est la volonté d'appliquer strictement les règles religieuses traditionnelles en refusant toute évolution.

Moyen-Orient, par des attentats et des prises d'otages. D'autres, comme Al-Qaïda qui rejette la superpuissance des États-Unis ainsi que l'existence de l'État d'Israël, multiplient les attentats dans le monde entier.

▶ Le **11 septembre 2001**, des terroristes d'Al-Qaïda frappent les États-Unis, visant les symboles de leur puissance économique à New York, militaire et politique à Washington ; deux avions percutent les tours du World Trade Center ; un troisième s'écrase sur le Pentagone. Environ 3 000 personnes meurent au cours de ces attentats.

2 Un monde instable et multipolaire

A Un monde instable

▶ Les attentats du 11 septembre constituent un tournant dans la politique extérieure américaine : le président George W. Bush définit un « **axe du mal** » qu'il veut combattre.

▶ Les États-Unis et leurs alliés envahissent l'**Afghanistan** en 2001 et l'**Irak** en 2003, qu'ils accusent de détenir des armes de destruction massive et de soutenir Al-Qaïda. Cette « guerre préventive » a lieu sans l'approbation de l'ONU (politique **unilatérale**).

▶ Mais après de rapides victoires, l'armée américaine s'enlise en Irak et en Afghanistan : la politique mondiale **unipolaire** est un échec.

B De nouvelles menaces

▶ Les guerres civiles, les famines organisées, les guérillas se multiplient en Afrique noire et au Moyen-Orient et sont désormais plus nombreuses que les **conflits interétatiques**. Elles ont des origines ethniques, religieuses ou sont liées aux ressources naturelles (pétrole, eau).

▶ L'organisation **État islamique** (Daesh ou EI) proclame un califat en 2014 qui s'étend sur l'Irak et la Syrie. Il s'oppose aux régimes syrien et irakien, aux forces kurdes et à une coalition internationale. Daesh externalise le conflit en frappant l'Europe (Paris en janvier et novembre 2015), l'Afrique et le Proche-Orient.

C De nouveaux acteurs

▶ Le Brésil, la Russie, l'Inde, la Chine et l'Afrique du Sud (**BRICS**) conjuguent puissances démographique et économique majeures. La Russie est un élément clé de l'approvisionnement en hydrocarbures. La Chine domine le commerce international des biens industriels.

▶ Les BRICS disposent de l'arme atomique (à l'exception du Brésil et de l'Afrique du Sud) et entendent jouer un **rôle politique régional**.

▶ Les BRICS veulent se faire entendre dans les **instances internationales**. La Russie et la Chine, membres permanents du Conseil de sécurité de l'ONU, contrent l'influence américaine. Le Brésil et l'Inde demandent à y entrer.

CONCLURE

Des contrepoids à l'hyperpuissance américaine s'imposent pour instaurer une gestion multipolaire plus équilibrée et faire face aux menaces pesant sur la sécurité mondiale.

? QUIZ p. 47

*Pourquoi depuis plusieurs décennies
le Moyen-Orient est-il une région de conflits ?*

1 Une région stratégique sous tension

Le Moyen-Orient, qui s'étend de l'est de la Méditerranée (Turquie au nord, Égypte au sud) jusqu'à l'Iran et à la péninsule Arabique, est une zone de tensions.

Tensions culturelles	Tensions pour l'eau	Tensions pour le pétrole
• Entre musulmans sunnites (Arabie saoudite) et chiites (Iran)	• Entre la Turquie, la Syrie et l'Irak à propos de l'Euphrate	• Entre l'URSS et les États-Unis pendant la guerre froide
• Entre musulmans, chrétiens et juifs (à Jérusalem)	• Entre Israéliens et Palestiniens à propos du Jourdain	• Entre les grandes puissances et les pays émergents (Chine, Inde)

2 Le conflit israélo-palestinien

A L'origine du conflit

Après 1945, la **Palestine** est évacuée par les Britanniques. Le plan de partage de l'ONU

> DATE CLÉ Le Conseil national juif proclame la création de l'État d'Israël en 1948.

(1947), qui projette de la diviser en deux États, un État juif et un État arabe, est rejeté par les Palestiniens et les États arabes.

B Les guerres israélo-arabes (1948-1973)

► En 1948-1949, Israël étend son territoire : 800 000 Palestiniens se réfugient dans les États arabes voisins qui ont le soutien de l'URSS. Les États-Unis soutiennent Israël. Les Palestiniens sont défendus à partir de 1964 par l'**Organisation de libération de la Palestine** (OLP) qui recourt au terrorisme.

► En 1967 (guerre des Six-Jours), Israël occupe le Sinaï, la bande de Gaza, le Golan et la Cisjordanie. L'ONU exige, en vain, l'évacuation de ces **territoires occupés** qu'Israël conserve après la guerre du Kippour en 1973. En riposte, les pays exportateurs de pétrole (OPEP) quadruplent le prix du baril (premier choc pétrolier).

C L'extension et la persistance du conflit (depuis 1973)

▶ La présence de bases de l'OLP déchire le **Liban** : la guerre civile entre chrétiens et musulmans (1975-1990) entraîne l'intervention de la Syrie puis d'Israël (1982).

▶ Dans les territoires occupés, Israël favorise l'installation de **colons**. Les Palestiniens se soulèvent (première **Intifada** ou « guerre des pierres ») en 1987.

▶ En 1988, l'OLP rejette le terrorisme. Avec les **accords d'Oslo** (1993 et 1995), Israël et l'OLP se reconnaissent mutuellement. L'Autorité palestinienne est créée en Cisjordanie, qu'Israël évacue en 1998.

▶ Après le lancement de la deuxième Intifada en 2000, Israël construit un mur pour isoler les territoires palestiniens. Malgré l'évacuation de la bande de Gaza par Israël en 2005, la région est dans une situation de **guerre larvée**.

3 Le Moyen-Orient, une poudrière ?

A La lutte contre le terrorisme

▶ En octobre 2001, après les attentats du 11 septembre, les États-Unis et l'OTAN bombardent l'**Afghanistan** soupçonné d'abriter des bases d'Al-Qaïda et son chef Oussama **Ben Laden**. Celui-ci est tué en mai 2011.

▶ Sans l'accord de l'ONU, les États-Unis envahissent l'**Irak** accusé de détenir des armes non conventionnelles. **Saddam Hussein** est exécuté.

▶ L'Afghanistan et l'Irak sombrent dans la **guerre civile**, aggravée par des attentats.

B Les espoirs déçus du Printemps arabe

▶ En 2011, **en Égypte et en Libye**, les populations renversent les dictateurs. En Égypte, les élections portent au pouvoir les partis islamistes, renversés à leur tour en 2013.

▶ En **Syrie**, l'opposition, désunie, tente de renverser le président Bachar el-Assad. Déstabilisé par l'essor de Daesh qui sème le chaos dans la région pour fonder un califat, le pays sombre dans la guerre civile.

CONCLURE

Le Moyen-Orient, convoité pour ses ressources, est déstabilisé par des conflits ethniques et religieux, ainsi que par le terrorisme islamiste.

Quiz express

Vérifiez que vous avez bien retenu les points importants.

Le monde depuis 1945

1 Indépendance et construction de nouveaux États

Reliez chaque État à sa date d'accession à l'indépendance.

1. Algérie • • 1956
2. Inde et Pakistan • • 1962
3. Maroc et Tunisie • • 1947

2 Un monde bipolaire au temps de la guerre froide

	Vrai	Faux
1. Le mur de Berlin a été construit en 1948.	☐	☐
2. L'équilibre de la terreur contraint les deux Grands à une période de détente.	☐	☐

3 Affirmation et mise en œuvre du projet européen

	Vrai	Faux
1. La construction européenne a pour but de préserver la paix.	☐	☐
2. Les traités fondateurs créent la Communauté économique européenne (CEE) en 1957 et l'Union européenne (UE) en 1992.	☐	☐
3. Le Parlement européen siège à Bruxelles et la Commission européenne à Strasbourg.	☐	☐

4 Le nouvel ordre mondial après 1989

En 1990, les États-Unis sont qualifiés de superpuissance car :
☐ a. ils dominent les relations internationales.
☐ b. ils sont la première puissance économique et financière.
☐ c. ils diffusent leur mode de vie à l'échelle planétaire.

5 Le Moyen-Orient, foyer de conflits

	Vrai	Faux
1. L'État d'Israël est fondé en 1967.	☐	☐
2. La guerre en Irak (2003) est déclenchée avec l'accord de l'ONU.	☐	☐

Corrigés

1 Indépendance et construction de nouveaux États

Fiches 16 et 17

1. Algérie : 1962.

2. Inde et Pakistan : 1947.

3. Maroc et Tunisie : 1956.

2 Un monde bipolaire au temps de la guerre froide

Fiches 18 et 19

1. **Faux.** Le mur de Berlin est construit en 1961 par la République démocratique allemande (RDA).

2. **Vrai.** L'armement atomique menaçant la survie de la planète, les deux Grands recherchent la détente.

3 Affirmation et mise en œuvre du projet européen

Fiche 20

1. et 2. **Vrai.** La construction européenne a pour but la préservation de la paix par la coopération économique. Les traités de Rome (1957) créent la CEE et le traité de Maastricht (1992) crée l'UE.

3. **Faux.** Le Parlement européen siège à Strasbourg et la Commission européenne à Bruxelles.

4 Enjeux et conflits dans le monde après 1989

Fiche 21

Réponses a. b. et c. Après 1989, la Russie s'efface et les États-Unis prennent un rôle prépondérant. Ils allient *hard power* (puissance militaire et financière) et *soft power* (puissance diplomatique et culturelle).

5 Le Moyen-Orient, foyer de conflits

Fiche 22

1. **Faux.** L'État d'Israël est fondé en 1948.

2. **Faux.** Après les attentats du 11 septembre 2001, les États-Unis lancent la lutte contre le terrorisme (guerres en Afghanistan en 2001 et en Irak en 2003). Alors que la première intervention a lieu avec l'accord de l'Organisation des Nations unies, l'intervention en Irak est une décision unilatérale des États-Unis. Les pays émergents et la France contestent cette intervention.

Les indépendances en Asie et en Afrique (1947-1980)

Nouveaux États indépendants	Métropole concernée	Indépendance acquise par...
Inde et Pakistan (1947)	Royaume-Uni	des négociations
Vietnam Nord et Sud, Cambodge et Laos (1954)	France	la guerre (1946-1954)
Tunisie et Maroc (1956)	France	des négociations
Afrique subsaharienne (1960)	France	des négociations
Algérie (1962)	France	la guerre (1954-1962)

La guerre froide (1947-1991)

▶ Les crises se multiplient entre l'URSS et les États-Unis, donnant naissance à un **monde bipolaire** : blocus de Berlin-Ouest (1948-1949), construction du mur de Berlin (1961), crise de Cuba (1962).

▶ Le danger atomique contraint les deux Grands à la **détente** (1953-1975), ce qui n'exclut pas des guerres périphériques au Vietnam (1965-1975) et au Moyen-Orient. L'apaisement ne dure pas, le communisme s'étend. La course aux armements reprend avec l'élection du président américain Ronald Reagan en 1980.

▶ Les réformes de Mikhaïl Gorbatchev suscitent la contestation. Cela conduit peu à peu, entre 1989 et 1991, au rejet du communisme dans les États satellites d'Europe, à la **chute du mur de Berlin** (ci-contre), à la dissolution du Parti communiste d'Union soviétique et à l'éclatement de l'URSS. Le bloc de l'Est est désintégré.

🔵 Le projet européen depuis 1957

▶ Pour préserver la paix et développer la coopération économique, six États signent les **traités de Rome (1957)** qui créent la Communauté économique européenne (**CEE**).

▶ La CEE prend le nom d'Union européenne (**UE**) par le **traité de Maastricht (1992)** puis s'élargit jusqu'à 28 membres en 2013.

▶ L'Europe doit cependant faire face à la montée de l'**euroscepticisme** et à la **crise migratoire** (2015).

🔵 Enjeux et conflits dans le monde après 1989

▶ Un **monde multipolaire** voit le jour dans lequel l'UE et les BRICS tentent d'affirmer leur rôle.

▶ Les tensions pour les **ressources** (pétrole, eau) et les **conflits périphériques** (Moyen-Orient) persistent. Le monde reste instable.

▶ Depuis leurs bases au Moyen-Orient, des organisations islamistes radicales pratiquent le **terrorisme** (attentats du 11 septembre 2001 à New York). Malgré les interventions internationales en Afghanistan (2001) et en Irak (2003), le terrorisme reste une menace. Des mouvements islamistes tentent de s'imposer en Libye, en Syrie et en Irak depuis 2014 (Daesh).

> **LES DÉFINITIONS CLÉS**

bloc	Ensemble de pays liés par des alliances militaires et économiques.
guerre froide	Période de tension entre les deux Grands (1947-1991), au cours de laquelle des crises et des guerres périphériques (affrontements par peuples interposés) alternent avec des périodes de détente.
terrorisme	Forme de violence (attentats, prises d'otages) qui fait régner la peur au sein des populations afin de faire pression sur les gouvernements.

Récap'
express

Dans quelle mesure la refondation républicaine est-elle empreinte des idéaux de la Résistance ?

1 Une refondation préparée par le GPRF

A La restauration de la paix civile

▶ Le **Gouvernement provisoire de la République française** (GPRF), créé le 2 juin 1944 par le général de Gaulle, s'installe à Paris, libéré en août 1944. Il réunit toutes les composantes de la Résistance et restaure l'**État de droit**.

▶ Des tribunaux procèdent à l'**épuration** juridique des collaborateurs. Pierre Laval et le maréchal Pétain sont jugés en 1945.

B De nouveaux outils pour gouverner et moderniser le pays

▶ À partir de 1945, les représentants de l'État sont formés à l'**École nationale d'administration** (ENA).

▶ L'État crée le **Commissariat général au Plan** (1946) afin de fixer les grandes priorités économiques nationales pour la reconstruction. Cet organisme est aidé par les études menées par l'INSEE.

▶ La création de l'INRA (agronomie), du CNRS (recherche scientifique) et du CEA (énergie atomique) relancent la **recherche**.

2 La mise en place d'une République démocratique

A La naissance difficile de la IVe République

▶ Le GPRF rétablit le suffrage universel et accorde le **droit de vote aux femmes** le 21 avril 1944, en juste retour de leur rôle dans la Résistance (→ FICHE **29**). Celles-ci votent pour la première fois aux élections municipales un an plus tard.

▶ Le 21 octobre 1945, les Français élisent une assemblée constituante chargée de rédiger une **nouvelle Constitution**. De Gaulle, hostile au projet constitutionnel, démissionne en janvier 1946.

▶ La IVe République, approuvée par **référendum,** naît en octobre 1946.

> **MOT CLÉ** Un référendum est un vote portant sur une question. Les électeurs sont invités à y répondre par « oui » ou par « non ».

B Un régime parlementaire

▶ La Constitution de la IVᵉ République réaffirme les symboles et les **principes républicains**.

▶ Elle dote le **Parlement** de pouvoirs forts : l'Assemblée nationale et le Conseil de la République élisent le président de la République et peuvent renverser le gouvernement (nommé par le président) par une **motion de censure**. Les députés sont élus au **scrutin proportionnel**, ce qui rend la majorité difficile à obtenir. Des accords entre les partis sont nécessaires pour gouverner.

3 *La mise en place d'une République économique et sociale*

A Pour moderniser la France

▶ Alors que la population est rationnée jusqu'en 1949, l'État doit reconstruire le pays. De nombreuses entreprises privées sont **nationalisées** dans les secteurs stratégiques : charbon, électricité, chemin de fer, banques.

▶ L'État soutient les secteurs de pointe (pétrochimie, automobile, aéronautique) par des **commandes publiques**.

B Pour renforcer la cohésion nationale

Conformément au programme du Conseil national de la Résistance (CNR) (→ FICHE 13), le GPRF puis la IVᵉ République engagent des réformes sociales : création de la **Sécurité sociale** en 1945, des allocations familiales et d'un salaire minimum (1950). C'est le début de l'**État-providence**.

CONCLURE

La légalité républicaine rétablie, la nouvelle Constitution met en place une République démocratique et sociale.

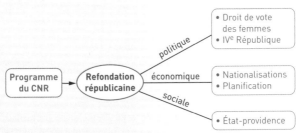

? QUIZ p. 63

Quelle marque le général de Gaulle, fondateur de Vᵉ République, imprime-t-il aux institutions et à la politique du nouveau régime ?

1 La fondation de la Vᵉ République

A La fin de la IVᵉ République

▶ Dans le contexte de la crise du 13 mai 1958 (→ FICHE **17**), le général **de Gaulle** revient au pouvoir. L'Assemblée nationale le nomme président du Conseil et lui octroie les pleins pouvoirs constituants. C'est la fin de la IVᵉ République.

▶ Le texte de la **Constitution de la Vᵉ République** est approuvé par référendum en octobre 1958, avec 79 % de « oui ». De Gaulle est élu **président de la République** par un collège de grands électeurs.

B Le pouvoir présidentiel renforcé (→ DÉPLIANT, VI)

▶ Tout en maintenant le régime parlementaire, la Constitution de 1958 dote le président de pouvoirs très étendus. Il peut **dissoudre l'Assemblée nationale**.

▶ En cas de crise grave, il dispose de pouvoirs exceptionnels (article 16). Il peut consulter le peuple par **référendum**.

▶ À partir de 1962, le président est élu au **suffrage universel direct**, renforçant ainsi sa légitimité.

> INFO L'élection du président au suffrage universel direct fait de l'élection présidentielle le moment le plus fort de la politique française.

2 La pratique gaullienne du pouvoir

A Une relation directe avec les Français

Le recours au référendum permet un exercice direct de la souveraineté nationale. Par des **messages télévisés**, des conférences de presse, de Gaulle explique et justifie sa politique.

B L'affirmation de l'indépendance nationale

▶ De Gaulle souhaite une **France forte**, affranchie de l'influence des États-Unis : la France se dote en 1960 de la **bombe atomique**, retire ses troupes de l'OTAN, mais reste membre de l'Alliance atlantique.

▶ De Gaulle approfondit le **dialogue** avec la République fédérale d'Allemagne (RFA), noué dès 1962. Il se rapproche de l'URSS et reconnaît la Chine en 1964.

▶ De Gaulle, partisan d'une « Europe des nations », refuse une Europe supranationale qui soumettrait la France aux institutions européennes.

③ L'usure du pouvoir, un mandat inachevé

Ⓐ Des signes de fragilité

▶ L'activité économique ralentit à la fin des années 1960. Les inégalités sociales se creusent. Le **chômage** augmente (mines, textiles).

▶ Les Français montrent un désintérêt pour la vie politique (**taux d'abstention croissants**).

▶ La gauche se regroupe autour de **François Mitterrand**.

Ⓑ La crise de mai 1968

▶ Des mouvements de **contestation** remettent en cause la société de consommation, les inégalités sociales et les institutions. Les étudiants affrontent les forces de l'ordre, notamment à Paris.

▶ La crise gagne le monde ouvrier. La France est paralysée par une **grève générale** avec occupation d'usines pendant un mois.

▶ Les **accords de Grenelle** prévoient des augmentations de salaires et un exercice plus libre du droit syndical dans les entreprises. Mais les grèves continuent.

▶ La crise devient politique, la gauche réclame le départ de de Gaulle.

Ⓒ Les conséquences des événements de mai 1968

▶ De Gaulle dissout l'Assemblée nationale et, aux **élections de juin 1968**, les Français, inquiets du désordre, votent massivement pour les gaullistes.

▶ L'autorité du général de Gaulle est pourtant ébranlée. En 1969, les Français rejettent par référendum la régionalisation et la réforme du Sénat. De Gaulle démissionne.

CONCLURE

Par l'exercice d'un pouvoir présidentiel fort, le général de Gaulle a marqué durablement le fonctionnement des institutions de la Vᵉ République.

Comment les institutions résistent-elles aux changements de majorité ?

1 L'après de Gaulle : garantir la continuité des institutions (1969-1981)

A La présidence de G. Pompidou, l'héritage gaulliste (1969-1974)

▶ Georges Pompidou succède au général de Gaulle. Il poursuit la politique d'indépendance nationale mais cherche à moderniser le pays. Il augmente le pouvoir d'achat des Français (**SMIC**, 1970) et permet l'entrée du Royaume-Uni dans la communauté européenne.

▶ Si Pompidou parvient à endosser la stature présidentielle, il doit faire face à la montée du Parti socialiste qui signe en 1972 un **programme commun** avec le Parti communiste. Gravement malade, il meurt le 2 avril 1974 en cours de mandat.

B Un non-gaulliste au pouvoir : V. Giscard d'Estaing (1974-1981)

▶ V. Giscard d'Estaing est élu face au socialiste François Mitterrand en 1974. Il cherche à **rajeunir** l'image de la fonction présidentielle.

▶ Il abaisse l'âge de la majorité de 21 à 18 ans (1974) et instaure le collège unique (1975). À l'écoute des revendications féministes, il légalise **l'interruption volontaire de grossesse** (loi Veil, 1975), crée un secrétariat d'État à la Condition féminine et facilite le divorce (→ FICHE 29). Il permet également le regroupement des familles de travailleurs immigrés (→ FICHE 30).

2 L'alternance : les présidences de F. Mitterrand (1981-1995)

A De nombreuses réformes

▶ En 1981, en pleine crise économique, la gauche accède au pouvoir avec l'élection de François Mitterrand et d'une Assemblée nationale socialiste : c'est **l'alternance**.

▶ En 1981-1982 sont prises des **mesures de « changement »**, comme la France n'en avait pas connues depuis la Libération. Le

> **MOT CLÉ** Les mesures du « changement » sont la suppression de la peine de mort, la semaine de 39 heures, la 5ᵉ semaine de congés payés et la retraite à 60 ans.

SMIC et les allocations familiales sont augmentés pour relancer la consommation. L'audiovisuel est libéralisé (radios libres). De grands groupes bancaires et industriels sont nationalisés. Les lois de décentralisation donnent davantage de pouvoirs aux régions.

▶ En 1982, le chômage croissant et l'inflation obligent le gouvernement à appliquer une **politique de rigueur** (blocage des prix et des salaires).

B La cohabitation : une situation inédite

▶ Les mesures de rigueur sont très impopulaires et, en 1986, la droite remporte les élections législatives. Mitterrand, président de gauche, doit nommer un Premier ministre de droite, **Jacques Chirac**. C'est la première cohabitation.

▶ Le président garde la main en **politique étrangère** tandis que le Premier ministre mène la **politique intérieure** : les institutions résistent, même si l'entente entre les deux hommes est parfois difficile.

▶ Chirac **privatise** des secteurs nationalisés par la gauche. Cependant, il échoue dans sa lutte contre le chômage et il est battu à l'élection présidentielle de 1988 par Mitterrand.

C Le second septennat de F. Mitterrand (1988-1995)

▶ À la fin des années 1980, la France profite d'une légère reprise de la croissance économique. Le Premier ministre socialiste, Michel Rocard, crée alors le **revenu minimum d'insertion** (RMI).

▶ Mais la mondialisation fragilise l'économie et le chômage ne diminue pas. La popularité de la gauche est entamée. Aux élections législatives (1993), la droite l'emporte (deuxième cohabitation). Le Premier ministre de droite, **Édouard Balladur**, applique une politique de rigueur.

▶ En 1995, Chirac accède à la présidence de la République, inaugurant alors la **deuxième alternance**.

CONCLURE

De 1969 à 1995, droite et gauche alternent au pouvoir sans déclencher de crise politique, attestant la solidité des institutions de la Ve République.

QUIZ p. 63

Depuis les années 1950, quelles sont les transformations économiques et sociales observables en France et comment la République les accompagne-t-elle ?

1 L'évolution de l'économie française

A La prospérité économique

▶ La croissance économique est importante (croissance du PIB de **5 % par an**) des années 1950 aux années 1970 : ce sont les Trente Glorieuses. En 1959, une monnaie forte est créée avec le nouveau franc.

> **MOT CLÉ** L'expression Trente Glorieuses désigne la période de forte croissance économique de 1945 à 1975.

▶ La France s'équipe de centrales nucléaires et développe les réseaux de transport : autoroutes, aéroports…

▶ Afin de réduire les déséquilibres régionaux, la **Délégation à l'aménagement du territoire et à l'action régionale** (DATAR) est fondée en 1963.

▶ Le niveau de vie et le temps consacré aux loisirs augmentent grâce à une législation favorable (allongement des congés payés, salaire minimum). La population entre dans l'ère de la **société de consommation**.

B La récession

▶ À partir de 1974, le **ralentissement de la croissance** (1 à 2 % par an), ponctué de phases de récession, bouleverse l'économie. Les prix augmentent fortement et un chômage de masse apparaît.

▶ Les délocalisations et la concurrence mondiale entraînent une **désindustrialisation** et un déclin du secteur secondaire (40 % des actifs en 1970, 22 % en 2000), tandis que le secteur tertiaire (services) augmente.

▶ Le **chômage**, chronique (4 % des actifs en 1974), touche les travailleurs non qualifiés, les immigrés, les femmes et les seniors.

2 Les bouleversements de la société française

A D'une France jeune à une France plus âgée

▶ La **politique nataliste**, menée par la IVe République et poursuivie ensuite, entraîne une forte croissance démographique : c'est le **baby boom**. La population française augmente.

> **MOT CLÉ** Une politique nataliste consiste à encourager la natalité (allocations familiales, Sécurité sociale).

▶ Le **poids des jeunes** dans la société s'accroît et l'âge minimum de la scolarité passe de 14 à 16 ans (1959).

▶ La jeunesse développe une culture qui lui est propre : vêtements (jeans), musique (rock'n roll). En mai 1968, elle revendique davantage de libertés individuelles et collectives (→ FICHE 26). La **majorité à 18 ans** est accordée en 1974.

▶ À partir des années 1970, le **travail des femmes** se généralise (→ FICHE 29). Le recours à la contraception (1967) entraîne une baisse de la fécondité. La croissance démographique diminue en même temps que l'espérance de vie augmente du fait des progrès de la médecine : la population vieillit.

B Une France plus urbaine

▶ Avec l'augmentation des services, les emplois se concentrent dans les villes. Les campagnes se dépeuplent et les nouveaux urbains s'installent dans les banlieues des grandes agglomérations. L'État construit des **grands ensembles**, des villes nouvelles et des autoroutes.

▶ L'usage généralisé de la voiture et le développement des transports en commun (RER, trains régionaux) permettent cet **étalement urbain**.

C De nouvelles structures familiales

▶ Si l'attachement au modèle de la famille traditionnelle reste important, les **mariages** sont de moins en moins nombreux.

▶ Les **divorces**, plus fréquents, font augmenter le nombre de familles monoparentales et de familles recomposées.

CONCLURE

La Ve République accompagne, par de nombreuses lois, les transformations économiques et sociales de la France des années 1950 à 1980.

QUIZ p. 63

*Des années 1950 aux années 1980,
comment la condition des femmes évolue-t-elle
dans la société ?*

1 Une longue conquête des droits politiques

A Le statut de la femme avant 1944

► Depuis le Code civil (1804), la femme est **juridiquement considérée comme inférieure à l'homme.** Elle ne peut ni travailler, ni disposer d'un compte en banque sans l'accord de son époux. Elle est sous la tutelle de son mari ou de son père, éternelle mineure.

► Malgré le rôle des femmes pendant la **Grande Guerre** et plusieurs votes positifs des députés, les sénateurs refusent de leur accorder le droit de vote dans l'entre-deux-guerres. Cependant, le **Front populaire** nomme trois femmes au gouvernement en 1936.

B La citoyenneté politique

► En 1944, le Gouvernement provisoire de la République française (GPRF) accorde le **droit de vote et d'éligibilité** aux femmes (→ FICHE 25) pour leur participation à la Résistance (20 à 30 % des effectifs).

► Pourtant, jusqu'à la fin des années 1980, les femmes n'occupent qu'une place minoritaire en politique. La loi sur la **parité en politique** (1999) vise à changer cette situation.

> MOT CLÉ La parité consiste, pour un parti politique, à présenter autant de candidats femmes que de candidats hommes lors des élections.

2 Les femmes dans le monde du travail

A L'essor du salariat féminin

► Les femmes travaillent **massivement depuis le XIXe siècle**, souvent aux côtés de leur mari, comme commerçantes, paysannes ou ouvrières.

► À partir de la Première Guerre mondiale, leur part dans le **secteur des services** s'accroît (employées, secrétaires).

► Ce phénomène se poursuit pendant les Trente Glorieuses grâce à la **démocratisation de l'enseignement**. En 1964, pour la première fois, on compte autant de bachelières que de bacheliers, mais les filles sont moins nombreuses que les garçons à poursuivre leurs études.

B Une précarité qui demeure

▶ Les lois Roudy de 1981-1983 interdisent toute forme de **discrimination sexiste** au travail. Mais les inégalités persistent. À diplôme égal, le salaire des femmes reste de 20 % inférieur à celui des hommes.

▶ Les femmes restent davantage touchées par le **travail à temps partiel subi** et par le **chômage**.

3 *La place des femmes dans la famille*

A De nouvelles revendications ...

▶ Après l'obtention du droit de vote (1944), les femmes reprennent la lutte pour leur émancipation sociale. *Le Deuxième Sexe* de Simone de Beauvoir (1949) conteste la place des femmes dans la société.

▶ À partir des années 1960, les **mouvements féministes**, dont le Mouvement de libération des femmes (MLF), revendiquent de nouveaux droits afin que les femmes puissent maîtriser leur fécondité.

B ... entendues par la République

▶ La **contraception orale** (pilule) est autorisée en 1967 par la loi Neuwirth.

▶ En 1974, le projet de loi défendu par Simone Veil, légalisant l'**interruption volontaire de grossesse (IVG)**, provoque de vifs débats. En 1975, la loi Veil autorise l'avortement en milieu hospitalier, tout en affirmant la liberté de conscience pour les praticiens.

CONCLURE

De nouveaux droits pour les femmes

	Début du xxᵉ siècle	Fin du xxᵉ siècle
Vie politique	• Absence de droits politiques	• Droits politiques égaux à ceux des hommes • Loi sur la parité mais faible représentativité
Travail	• Faibles qualifications • 30 % de la population active	• Accès aux formations supérieures • 48 % de la population active (mais inégalités salariales)
Vie sociale	• Domination masculine et maritale	• Égalité de principe au sein de la famille • Maîtrise de la fécondité

? QUIZ p. 63

Dans quelle mesure l'évolution de la place des immigrés dans la société française est-elle le reflet des mutations économiques du pays ?

1 Une immigration massive pendant les Trente Glorieuses

A Une immigration encouragée

▶ Pendant l'entre-deux-guerres, des **Européens** (Belges, Espagnols, Italiens, Polonais) viennent pourvoir les besoins de la France en main-d'œuvre. Leur **intégration** s'effectue en une ou deux générations.

▶ Après 1945, pendant les **Trente Glorieuses**, la France manque de main-d'œuvre non qualifiée.

> CHIFFRE CLÉ Entre 1946 et 1976, le nombre d'immigrés double, passant de 1,7 million à 3,3 millions.

L'Office national de l'immigration (ONI) organise la venue de **travailleurs** du Portugal, des pays du Maghreb (récemment décolonisés), puis d'Afrique noire francophone.

▶ Sans formation professionnelle, ils travaillent dans l'industrie, le bâtiment ou le secteur tertiaire où ils occupent les emplois les plus difficiles, les plus répétitifs et les moins qualifiés.

B Une intégration parfois difficile

▶ De 1945 à 1974, un immigré sur deux obtient la nationalité française. Il s'agit encore majoritairement d'hommes seuls qui vivent dans des conditions précaires. Ils sont nombreux à vivre en foyers ou dans des **bidonvilles** (40 % des immigrés algériens).

▶ Ces bidonvilles sont détruits et leurs habitants relogés dans des **grands ensembles**, créés entre 1957 et 1969, le plus souvent en zones périurbaines éloignées des centres-villes.

▶ L'intégration se poursuit pour les enfants nés de parents immigrés, notamment grâce à l'**école**.

▶ Malgré la croissance économique, les immigrés sont parfois victimes de **violences racistes**, comme dans le sud de la France en 1973.

2 Une immigration contrôlée, source de débats

A L'immigration freinée

▶ L'immigration est **officiellement arrêtée** en 1974. En diminution, les flux sont constitués des proches des immigrés au titre du regroupement familial (1976), des ressortissants de l'Union européenne et des réfugiés politiques.

▶ L'immigration légale étant freinée, l'**immigration clandestine** se développe.

▶ À la fin des années 1980, l'immigration est limitée et choisie en fonction des **besoins de main-d'œuvre**. Elle est également restreinte en raison de la question à la fois politique, sociale et humaine de l'intégration parfois difficile des immigrés.

B L'immigration en débat

▶ L'immigration devient un **sujet politique** dans les années 1980. Le Front national, parti politique d'extrême droite créé en 1972, voit ses résultats augmenter aux différentes élections. Il dénonce l'ouverture des frontières et présente l'immigration comme source de chômage.

▶ Des actions comme la Marche pour l'égalité et contre le racisme (1983) ou des associations telles SOS Racisme (1984) se positionnent en faveur de l'**intégration**, et non l'**assimilation**, et du

> **MOT CLÉ** L'**assimilation** d'une personne à une société implique l'abandon des éléments de son identité d'origine. L'**intégration**, au contraire, ne nie pas les particularités culturelles et ethniques d'origine et permet à l'immigré de participer pleinement à la vie de la nation.

« droit à la différence » des populations immigrées. Elles militent également pour la régularisation des sans-papiers.

CONCLURE

L'évolution de la place des immigrés en France reflète les mutations économiques et sociales du pays. Jusqu'en 1974, l'immigration est encouragée, puis la politique migratoire se durcit dans le contexte de la crise économique.
La question migratoire devient alors un enjeu politique.

Françaises et Français dans une République repensée

1 La refondation de la République après la Libération (1944-1947)

Lesquelles de ces mesures sont adoptées par le GPRF ?
☐ **a.** Le rétablissement des lois de la République.
☐ **b.** L'octroi du droit de vote aux citoyens à partir de 18 ans.
☐ **c.** La création de la Sécurité sociale.

2 La naissance de la Vᵉ République, les années de Gaulle

	Vrai	Faux
1. La Constitution de la Vᵉ République renforce le pouvoir présidentiel.	☐	☐
2. À partir des années 1960, la France développe le nucléaire civil et militaire.	☐	☐
3. La crise de mai 1968 entraîne la démission du Premier ministre Georges Pompidou.	☐	☐

3 Des Trente Glorieuses à la crise économique

Depuis la fin des années 1960, la société française est notamment marquée par :
☐ **a.** l'essor du secteur secondaire.
☐ **b.** le développement d'une culture jeune.
☐ **c.** une concentration des Français dans le centre-ville des grandes agglomérations.

4 Les évolutions de la société française des années 1950 aux années 1980

	Vrai	Faux
1. Le droit à l'avortement date de 1975.	☐	☐
2. L'immigration est freinée en France à partir de la crise économique des années 1960.	☐	☐

Corrigés

Score : ... / 8

1 *La refondation de la République après la libération (1944-1947)*
Fiche 25

Réponses a. et c. Le GPRF (Gouvernement provisoire de la République française) restaure les lois de la République. Il réaffirme le suffrage universel (à partir de 21 ans) et l'étend aux femmes. Il engage des réformes sociales avec la création de la Sécurité sociale.

2 *La naissance de la Vᵉ République, les années de Gaulle*
Fiche 26

1. et 2. Vrai. Le président de la Vᵉ République peut dissoudre l'Assemblée nationale et consulter le peuple par référendum. De Gaulle veut une France économiquement forte (centrales nucléaires) et politiquement indépendante en la dotant de la bombe atomique en 1960.

3. Faux. La crise politique de mai 1968 s'achève avec la dissolution de l'Assemblée nationale par de Gaulle. Ce dernier démissionne en 1969 et, après une élection présidentielle anticipée, Georges Pompidou lui succède.

3 *Des Trente Glorieuses à la crise économique*
Fiche 28

Réponse b. Les difficultés économiques entraînent une désindustrialisation (recul du secteur secondaire) et un chômage chronique. Les campagnes se dépeuplent au profit des espaces périurbains (banlieues) liés à l'étalement des grandes agglomérations.

4 *Les évolutions de la société française des années 1950 aux années 1980*
Fiches 29 et 30

1. Vrai. Les femmes obtiennent de nouveaux droits pour contrôler leur fécondité (contraception orale en 1967, IVG en 1975).

2. Faux. L'immigration de travailleurs étrangers est stoppée en 1974, lorsque la crise liée au premier choc pétrolier touche la France.

Françaises et Français dans une République repensée

● *La refondation de la République après la Libération*

En juin 1944, le général de Gaulle dirige le Gouvernement provisoire de la République française (**GPRF**) qui participe à la Libération, rétablit l'autorité de l'État et « refonde » la République (la **IVe République**) en 1946.

● *De Gaulle et la naissance de la Ve République (1958-1969)*

En 1958, le conflit algérien entraîne la chute de la IVe République et la création de la **Ve République**. Son premier président, Charles de Gaulle (1958-1969), vise à faire de la France une grande puissance économique et militaire, indépendante sur la scène internationale.

Ébranlé par la **crise de mai 1968**, il démissionne en 1969.

● *Les évolutions de la Ve République*

▶ La droite se maintient au pouvoir de 1958 à 1981, sous les présidences de Georges Pompidou (1969-1974) puis de Valéry Giscard d'Estaing (1974-1981). En 1981, la gauche remporte l'élection présidentielle : c'est **l'alternance**.

▶ En 1981, **François Mitterrand** adopte les « mesures du changement » (suppression de la peine de mort, retraite à 60 ans…).

▶ De 1986 à 1988, puis de 1993 à 1995, droite et gauche exercent le pouvoir exécutif ensemble : c'est la **cohabitation**. Les institutions résistent à cette situation inédite.

▶ Les problèmes économiques (**crises** financières, inflation, déficit du commerce extérieur) dominent la vie politique. Le **chômage** et la précarité augmentent.

● Femmes et hommes dans la société française des années 1950 aux années 1980

▶ Pendant les Trente Glorieuses, la société connaît de **profondes mutations**. Grâce à une croissance économique soutenue, la population française entre dans l'ère de la consommation de masse. Plus nombreux, les Français sont également plus urbains et la population active est davantage employée dans le secteur tertiaire.

▶ Les **femmes**, devenues citoyennes en 1944 (droit de vote), sont de plus en plus nombreuses à travailler. Elles obtiennent de **nouveaux droits** (contraception, avortement avec la loi Veil de 1975), puis expriment de nouvelles revendications telles l'égalité salariale et une meilleure représentation politique.

▶ L'**immigration** est encouragée pendant les Trente Glorieuses. Mais avec la crise et l'augmentation du chômage, elle est stoppée (1974). L'intégration des immigrés et l'ouverture des frontières deviennent des sujets de débat politique.

LES DÉFINITIONS CLÉS

alternance	Accession au pouvoir d'un président de la République ou d'une majorité parlementaire d'une tendance politique opposée à celle qui a précédé.
cohabitation	Situation politique dans laquelle le président de la République et le gouvernement (issu de la majorité parlementaire) sont de tendances politiques opposées.
étranger	Personne qui ne détient pas la nationalité du pays dans lequel elle réside.
immigré	Personne résidant en France et qui n'y est pas née. Un immigré peut être naturalisé français.

Récap' express

? QUIZ p. 79

Que signifie vivre en ville aujourd'hui en France ?

1 La France, un territoire d'urbains

A Les Français vivent en majorité dans une aire urbaine

▶ Aujourd'hui, une ville intègre les espaces dans lesquels les populations ont un **mode de vie urbain** : elles y travaillent et s'y déplacent, mais n'y résident pas toujours.

▶ 85 % de la population française vit dans une **aire urbaine**, c'est-à-dire un espace centré autour d'un pôle urbain (ou agglomération), qui rassemble une ville-centre et ses banlieues.

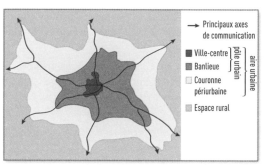

Principaux axes de communication

■ Ville-centre ⎱ pôle urbain ⎱ aire urbaine
■ Banlieue
☐ Couronne périurbaine
■ Espace rural

B Les différents espaces urbains

Ils se distinguent par leur forme.

▶ La **ville-centre** présente un espace bâti en continu (immeubles, tours) avec de fortes densités humaines.

▶ Les **banlieues** sont composées d'immeubles, de grands ensembles (cités) et/ou de maisons individuelles.

▶ Au-delà de ce **pôle urbain** commence la **couronne périurbaine,** formée de villes ou villages dont au moins 40 % de la population active travaille dans le pôle urbain. Elle a une fonction résidentielle mais abrite aussi des espaces spécialisés (zones industrielles et commerciales) et des équipements lourds (stations d'épuration, usines, aéroports).

2 L'étalement spatial des villes et ses conséquences

A L'étalement urbain

▶ L'attrait pour un meilleur cadre de vie, la hausse des prix de l'immobilier des villes-centres et le développement des moyens de transport ont entraîné l'**étalement** des villes le long des voies de communication.

▶ Les espaces périurbains les plus éloignés des villes, mais bien pourvus en moyens de transport, sont peuplés de « **néoruraux** », c'est-à-dire d'anciens citadins venus s'installer loin des centres où ils continuent de travailler.

B Une mobilité accrue des habitants (→ DÉPLIANT, VII)

▶ Grâce aux transports à grande vitesse et aux voies rapides, les **distances-temps** se sont réduites et les espaces traversés quotidiennement se sont étendus (43 km en moyenne).

> CHIFFRE CLÉ Les mobilités quotidiennes concernent plus de 60 % des actifs du fait de l'éloignement croissant entre le lieu de résidence et celui du travail, des loisirs et des achats. Elles sont appelées **migrations pendulaires**.

▶ Cependant, l'étalement urbain grignote les espaces ruraux, entraîne des **pollutions atmosphériques** causées par les routes saturées aux heures de pointe, et des coûts élevés en infrastructures de transport.

C De fortes inégalités sociospatiales

▶ Elles se manifestent par d'**importants écarts socio-économiques** : la hausse des prix de l'immobilier a accentué l'**embourgeoisement** (ou **gentrification**) des centres, tandis que les banlieues plus populaires, concentrant les grands ensembles et parfois classées « zones urbaines sensibles » (ZUS), sont mises à l'écart et évitées.

▶ Les politiques de la ville consistent à **réhabiliter** les immeubles des ZUS, à favoriser la **mixité sociale** en imposant aux communes de disposer d'au moins 25 % de logements sociaux (loi SRU) ou en encadrant les prix des loyers à Paris.

CONCLURE

Aujourd'hui, 95 % des Français vivent dans un territoire sous influence urbaine. Ces aires urbaines, de plus en plus étalées, grignotent l'espace rural. Elles souffrent également de fortes inégalités sociospatiales.

(→ DÉPLIANT, VII)

? QUIZ p. 79

*Quelles sont les dynamiques
de l'urbanisation sur le territoire français ?*

1 Un système urbain dominé par Paris

A Une armature urbaine déséquilibrée

▶ La France présente une situation de **macrocéphalie**

> MOT CLÉ L'armature urbaine est la hiérarchie des villes au sein d'un territoire.

parisienne. Paris, l'aire urbaine la plus peuplée (12,4 millions d'habitants), est sept fois plus peuplée que Lyon, la seconde aire urbaine française (2,2 millions d'habitants).

▶ Seules sept aires urbaines dépassent un million d'habitants : Paris, Lille, Lyon, Marseille, Nice, Toulouse et Bordeaux.

▶ 50 % des urbains vivent dans les très nombreuses **villes moyennes** (entre 30 000 et 200 000 habitants) qui sont distribuées équitablement sur tout le territoire.

B Paris, une métropole mondiale

▶ L'urbanisation s'accompagne d'un regroupement des fonctions de commandement et de services diversifiés (formation, recherche, administrations, santé). Cette **métropolisation** se développe dans les villes engagées dans la compétition européenne et mondiale.

▶ Paris est la seule aire urbaine française de rang mondial. Elle est connectée aux autres **métropoles mondiales** (New York, Londres, Tokyo, etc.). Ses fonctions de commandement lui permettent de rayonner dans le monde entier.

▶ Paris est une **métropole politique, financière, économique et culturelle**. Elle accueille une

> CHIFFRES CLÉS Paris réalise 30 % du PIB français. Le quartier de La Défense abrite 15 firmes transnationales parmi les 50 premières mondiales ; 3 500 entreprises y sont présentes.

grande place boursière, le premier quartier des affaires européen, de grandes universités, de nombreux musées et des centres de congrès.

▶ Paris exerce son influence sur tout le territoire national. Le réseau de lignes à grande vitesse (LGV) est organisé en étoile autour de la métropole. Le 1er janvier 2016, l'aire urbaine parisienne est devenue la métropole du **Grand Paris.**

2 Un système urbain en évolution

A Une nouvelle hiérarchie urbaine

▶ Les aires urbaines **les plus peuplées** se situent au nord et à l'est, mais celles qui ont la **plus forte croissance urbaine** sont au sud et à l'ouest : Rennes, Nantes, Bordeaux, Toulouse, Montpellier ou encore Toulouse.

▶ Cette évolution s'explique par le phénomène d'**héliotropisme** (attractivité des régions ensoleillées et dynamiques économiquement).

B Un système urbain organisé par des métropoles régionales

▶ Le **statut de métropole** a été créé, par la loi du 16 décembre 2010, pour affirmer le rôle moteur des grandes agglomérations.

▶ En 2014, 13 aires urbaines, en plus de Paris, ont vu leurs compétences s'élargir et sont devenues **métropoles régionales** (loi MAPTAM).

▶ Ces métropoles sont des **établissements publics de coopération intercommunale** (EPCI). Chacune regroupe plusieurs communes dans le but de mener à bien des projets d'équipement afin de les rendre compétitives à l'échelle nationale et internationale.

C Des petites villes sous dépendance et en déclin

▶ Les villes-centres moyennes et petites sont pour la plupart en recul (sauf dans le sud et l'ouest du pays).

▶ Elles proposent des activités industrielles, aujourd'hui touchées par des délocalisations et la concurrence des pays émergents, mais aussi des services quotidiens de proximité (commerces, professions libérales, services publics). On parle d'**économie résidentielle**.

▶ Ces villes se retrouvent sous la dépendance d'une métropole.

CONCLURE

Le processus d'urbanisation a renforcé le poids des métropoles. Si l'aire urbaine de Paris domine le système métropolitain, la création des métropoles en 2014, dont les compétences ont été accrues, devrait rééquilibrer le système urbain français.

(→ DÉPLIANT, VIII-IX)

QUIZ p. 79

*Quel est le nouveau visage
de l'espace industriel français ?*

1 Un secteur industriel en mutation

A La France semble se désindustrialiser

▶ L'essor industriel des Trente Glorieuses (1945-1973) a permis la modernisation de l'appareil productif (nucléaire, aérospatial). Au milieu des années 1970, la **crise** a touché les secteurs industriels traditionnels (sidérurgie, charbon, textile).

▶ 2 millions d'emplois industriels ont été perdus depuis 1980, l'industrie ne représentant plus aujourd'hui que 12,5 % du PNB. Les **délocalisations** en Europe de l'Est ou en Asie du Sud-Est se sont multipliées du fait de la concurrence étrangère, notamment sur le coût de la main-d'œuvre.

B Une désindustrialisation à nuancer

▶ De nombreux emplois industriels ont été en fait **déplacés vers le secteur des services** (« théorie du déversement »).

▶ La production industrielle a été robotisée et les emplois de services aux entreprises industrielles, appelés **emplois périproductifs**, se sont multipliés : ingénierie, transport, distribution, publicité, conseil, etc.

2 L'évolution des localisations industrielles

A Le poids des héritages

▶ Auparavant, les espaces productifs industriels se situaient dans les **régions riches en matières premières** (charbon, fer) et en **main-d'œuvre** (Nord-Pas-de-Calais, Lorraine).

> **MOT CLÉ** Un espace productif est un espace aménagé et mis en valeur pour une activité économique produisant des richesses : agriculture, industrie, commerce et services.

▶ Pour faire face à la crise et à la concurrence internationale, l'État a mené dans les années 1970 une politique de **déconcentration industrielle**. L'aménagement de **zones industrialo-portuaires** (ZIP), comme au Havre ou à Dunkerque, a entraîné le glissement de la sidérurgie sur les littoraux.

▶ Des activités nouvelles se sont implantées dans ces régions pour compenser les fermetures d'usines et réhabiliter les **friches industrielles**.

B De nouveaux facteurs de localisation

▶ Les entreprises privilégient la **proximité d'une métropole**. La ville offre des services de qualité, une main-d'œuvre qualifiée et facilite l'accès aux moyens de transport rapides (autoroutes, TGV, avion).

▶ Un **cadre de vie** agréable (littoral, montagne) permet aux entreprises d'attirer des ingénieurs, des chercheurs et des cadres supérieurs.

▶ Les **régions frontalières** et les zones portuaires sont dynamisées par la mondialisation et l'intégration européenne.

C Une nouvelle géographie industrielle

▶ Le cœur industriel du pays reste localisé en **Île-de-France** et dans le **couloir du Rhône** (chimie). L'Île-de-France est au premier rang pour la recherche et les **industries de pointe**. La périphérie atlantique, également dotée d'industries de pointe, s'est tournée vers le secteur agroalimentaire.

▶ Des entreprises s'implantent dans l'Ouest et au Sud : aéronautique à Toulouse (Airbus), informatique en région PACA.

▶ L'évolution la plus importante touche le développement, en zone périurbaine, de **parcs technologiques** (mêlant activités de recherche, de formation et de production) et de **clusters** (regroupement d'entreprises d'un même secteur).

▶ Aujourd'hui, 71 **pôles de compétitivité** sont implantés sur le territoire national. Créés par une loi de 2005, ils sont soutenus par des aides financières de l'État (Aerospace Valley à Toulouse).

> **MOT CLÉ** Les pôles de compétitivité sont des associations d'entreprises, de centres de recherche et de formation engagés dans des projets communs.

CONCLURE

Les espaces productifs industriels se sont adaptés à la mondialisation : ils sont aujourd'hui davantage placés sur les interfaces que sont les métropoles, les littoraux ou les régions frontalières.

? QUIZ p. 79

*Quels sont les effets de la mondia-
lisation sur les espaces productifs agricoles français ?*

1 *Un secteur économique puissant mais vulnérable*

A La France, une grande puissance agricole

▶ L'agriculture occupe plus
de **53 % de la superficie**
du territoire français, soit
29 millions d'hectares.

> CHIFFRE CLÉ La France est le
> premier producteur agricole européen
> et le 5ᵉ exportateur mondial. L'agriculture
> représente 2,3 % du PIB, et jusqu'à
> 6,5 % avec l'industrie agroalimentaire.

▶ Les productions sont
variées et performantes : céréales, viandes (bœufs, volailles), bette-
raves (sucre), vigne, fruits et légumes.

▶ Depuis les années 1970, la production agricole française a
augmenté de 40 % grâce à la **mécanisation** de la production, au
remembrement des terres, à la recherche agronomique ainsi qu'à
l'utilisation d'engrais et de pesticides (**intrants**) qui ont permis
d'augmenter les rendements.

▶ La politique agricole commune (**PAC**), mise en place par la CEE
en 1962, a permis la modernisation du secteur agricole français,
tout en garantissant un revenu stable aux agriculteurs.

▶ L'agriculture s'appuie désormais sur une puissante **industrie
agroalimentaire** dominée par de grandes firmes transnationales
(Danone) et de nombreuses petites et moyennes entreprises,
employant plus de 400 000 personnes.

B Un secteur qui connaît de profonds bouleversements

▶ Victime de son succès, la PAC a entraîné la mise en place d'une
agriculture productiviste et multiplié les situations de **surproduction**.

▶ Aujourd'hui, la **concurrence internationale** fait fluctuer les prix
agricoles et le revenu moyen des agriculteurs baisse régulièrement
(moins 20 % à 25 % en dix ans).

▶ La population agricole est vieillissante. De moins en moins nombreux, les agriculteurs se retrouvent à la tête d'**exploitations toujours plus vastes.**

2 Les espaces agricoles, entre spécialisation et mutation

A Une spécialisation des régions agricoles

▶ La modernisation de l'agriculture française a entraîné une spécialisation des régions agricoles et le **recul de la polyculture** (association de plusieurs cultures).

▶ Le Bassin parisien est une région de grande culture céréalière avec de vastes **exploitations très modernes**. Le Bassin aquitain produit également des céréales (maïs).

▶ L'Ouest s'est spécialisé dans la production laitière et l'**élevage intensif hors-sol** (porcs et poulets). Les cultures délicates (vigne, fruits et légumes, fleurs) sont présentes dans les vallées de la Loire et de la Garonne ainsi qu'en Provence.

▶ Toutes ces régions sont bien intégrées à la **mondialisation** et exportent dans le monde entier.

▶ En revanche, les régions de **moyenne montagne**, dédiées à l'élevage bovin et ovin, sont peu insérées dans la mondialisation. Les exploitations, souvent de petite taille, se marginalisent.

B Une mutation des modes de consommation

▶ Rejetant une alimentation sans saveur, dont la production est souvent néfaste pour l'environnement (pollution des eaux, des sols et de l'air), les consommateurs sont de plus en plus nombreux à soutenir les expériences d'**agriculture raisonnée** ou d'**agriculture biologique**. Ils se mettent également en contact direct avec les producteurs, privilégiant les aliments locaux et les circuits courts.

> **MOT CLÉ** L'agriculture raisonnée utilise moins d'engrais et de pesticides que l'agriculture traditionnelle. L'agriculture biologique n'en utilise pas.

▶ Ainsi, les espaces agricoles à l'écart de la mondialisation connaissent une certaine revitalisation grâce à la création de **labels de qualité** et au développement du tourisme vert.

CONCLURE

Plus intégrés au complexe agroalimentaire et à la mondialisation, les espaces agricoles se sont spécialisés et les agriculteurs se sentent fragilisés. De nouveaux modes de consommation changent le paysage agricole français.

(→ DÉPLIANT, VIII-IX)

? QUIZ p. 79

*Comment l'essor des services
a-t-il modifié l'organisation des territoires en France ?
Comment ces derniers s'adaptent-ils à la mondialisation ?*

1 Les métropoles, des espaces privilégiés

A Des services en forte croissance

▶ En France, le **secteur tertiaire** (les services) représente les deux tiers des richesses produites et emploie 76 % de la population active.

▶ Les services sont publics, organisés par l'État (20 %), ou privés, aux mains d'une multitude de petites et moyennes entreprises (PME) ou de grandes entreprises de taille mondiale : les **firmes transnationales** (FTN).

B Les services déterminent la hiérarchie urbaine

▶ Plus une ville offre de services rares et spécialisés, plus son influence est grande. Ainsi, les plus petites villes vivent d'une **économie résidentielle**, tandis que les métropoles régionales proposent des services appartenant au **secteur tertiaire supérieur** (enseignement supérieur, conseil aux entreprises, médecins spécialistes, etc.).

> MOT CLÉ L'économie résidentielle repose sur des services de proximité (petits commerces, supermarchés, collèges et lycées, médecins généralistes, etc.).

▶ **Paris, métropole de rang mondial**, concentre les services culturels, les commerces de luxe, les sièges sociaux des grandes entreprises, les services financiers.

▶ Certains services, consommant beaucoup d'espace, sont situés en **périphérie des grandes villes**, où le prix de l'immobilier est plus modéré : aéroports, centres commerciaux, grandes salles de cinéma, services de stockage, etc. Grâce à l'essor des **technologies de l'information et de la communication** (TIC), les services aux entreprises se multiplient dans ces espaces périurbains.

2 L'évolution contrastée des espaces de services

A Les espaces ruraux, des territoires délaissés

▶ Les services publics (écoles, bureaux de poste, gares, casernes, maternités) mais aussi privés (centres médicaux, commerces) tendent à fermer.

▶ Afin d'éviter la « **déprise rurale** », des solutions de regroupement des activités sont parfois envisagées : maisons médicales accueillant plusieurs médecins, offre commune de services publics.

B Des espaces récréatifs toujours plus nombreux

▶ Le **tourisme** occupe une place particulière parmi les activités de services. La France est en effet le premier pays d'accueil de touristes au monde (84,5 millions en 2015). Ce secteur représente 6,5 % du PIB.

▶ Les zones urbaines et périurbaines abritent les musées, les monuments historiques et les parcs d'attractions. Si Paris reste le premier pôle d'accueil, d'autres villes sont également des lieux du **tourisme urbain** (Bordeaux, Lyon, Nice, Strasbourg, Avignon, Lille, etc.).

▶ Les littoraux et les espaces ruraux **à proximité des grandes villes** sont privilégiés pour les séjours de courte durée (Normandie).

▶ Les **littoraux** méditerranéen et atlantique (40 % des séjours en France) et les **montagnes** (17 % des séjours, surtout dans les Alpes du Nord) bénéficient de nombreuses infrastructures d'accueil (hôtels, chambres d'hôtes, campings).

▶ Le **tourisme vert** (rural) est plus diffus, souvent localisé en moyenne montagne.

> MOT CLÉ Le tourisme vert concerne les espaces ruraux. Il privilégie la découverte de la nature, des produits du terroir et des traditions locales.

▶ Néanmoins, le secteur touristique est soumis aux aléas du contexte politique et social (grèves, attentats, etc.).

CONCLURE

L'essor des services contribue à recomposer la géographie des espaces productifs français. Les services sont un facteur de hiérarchisation des villes et de réorganisation des espaces urbains. Le dynamisme des espaces récréatifs varie en fonction de leur accessibilité et de leur proximité avec les consommateurs.

? QUIZ p. 79

Quelles sont les caractéristiques spatiales, sociales et économiques des espaces de faible densité en France ?

1 Les caractéristiques des espaces de faible densité

A Des territoires où les hommes sont rares

▶ Avec une **densité** de 118 hab./km², la France métropolitaine est assez densément peuplée. Elle compte néanmoins des territoires de faible densité avec moins de 30 hab./km².

▶ Ces espaces correspondent à la « **France du vide** ». Certains ont même une densité inférieure à 10 hab./km² : on parle alors d'espaces **désertifiés**.

> CHIFFRES CLÉS Les espaces faiblement peuplés abritent 42 % des communes dans lesquelles vivent 4 millions d'habitants (6 % de la population).

B Des espaces ruraux en difficulté (→ DÉPLIANT, VIII-IX)

▶ Les espaces de faible densité forment une « diagonale » allant de la Champagne aux Pyrénées, à laquelle on peut ajouter les zones de montagnes et les arrières-pays normands et bretons.

▶ Ce sont des territoires essentiellement ruraux, démographiquement peu dynamiques, à l'écart des grands axes de transport qui les traversent mais ne les desservent pas toujours (« **effet tunnel** »).

▶ Les espaces de très faible densité peuvent également souffrir d'une mauvaise connexion au réseau de téléphonie mobile et Internet (**fracture numérique**).

C Des territoires de plus en plus attractifs

Les espaces ruraux ne subissent plus l'**exode rural** depuis les années 1970. Au contraire, certains d'entre eux, situés au sud de la « diagonale du vide », sont dynamisés par l'arrivée de citadins fuyant les espaces urbains ou de retraités revenant « au pays » après leur vie active. Ils bénéficient aujourd'hui d'un **solde migratoire positif**.

2 Sociétés et activités économiques des espaces de faible densité

A Des sociétés en mutation

▶ Les espaces de faible densité concentrent des personnes globalement **plus âgées** et socialement **plus modestes** que la moyenne nationale.

▶ Cependant, sous l'effet de l'arrivée de néoruraux mais aussi du développement des **résidences secondaires**, les sociétés rurales se diversifient. La **mixité sociale** se renforce, surtout au sud de la « France du vide », dans les espaces montagnards, normands et bretons.

▶ Les espaces ruraux voient désormais cohabiter des populations temporaires ou permanentes revendiquant des modes de vie urbains et des populations « natives » ayant des modes de vie plus repliés et peu mobiles.

B Une économie rurale qui se diversifie

Les espaces de faible densité se structurent autour de trois activités économiques qui connaissent de profondes mutations.

▶ L'**activité agricole**, qu'elle soit productiviste et tournée vers les marchés mondiaux, ou plus locale et recherchant la qualité des produits du terroir, se diversifie. Aujourd'hui les agriculteurs s'orientent vers les activités liées au tourisme vert ou de montagne. Ils entretiennent les paysages français et protègent la biodiversité.

▶ L'**économie résidentielle** repose sur des services peu exposés à la concurrence mondiale et bénéficie de la nouvelle attractivité de certains espaces ruraux.

▶ Les **activités liées à la transition énergétique et au développement durable** prennent leur essor : les nouveaux usages du bois (construction, biocombustible) revitalisent la sylviculture ; le développement de l'électricité d'origine solaire et éolienne complète la production énergétique, traditionnellement hydroélectrique.

CONCLURE

Les espaces de faible densité sont aujourd'hui en pleine mutation. Longtemps perçus comme des territoires en difficulté, ils connaissent un nouveau dynamisme démographique et économique.

Dynamiques territoriales de la France contemporaine

1 *Une France citadine*

L'urbanisation du territoire français est caractérisée par :
- [ ] a. une forte périurbanisation.
- [ ] b. une concentration des fonctions de commandement et des services diversifiés.
- [ ] c. un regroupement des populations dans les villes-centre.

2 *Le système urbain français*

On appelle « macrocéphalie parisienne » :
- [ ] a. le fait que tous les emplois de recherche soient concentrés à Paris.
- [ ] b. le fait que Paris domine de loin le réseau urbain français.
- [ ] c. la croissance urbaine de la ville de Paris.

3 *Les espaces productifs industriels*

Aujourd'hui, une usine préfère s'implanter :
- [ ] a. près d'une métropole.
- [ ] b. près d'une source d'énergie.
- [ ] c. à proximité d'un réseau de transport (autoroute, TGV).

4 *Les espaces productifs agricoles*

La Bretagne s'est spécialisée dans :
- [ ] a. l'élevage hors-sol.   [ ] b. l'élevage extensif.

5 *Les espaces de services et les espaces de faible densité*

	Vrai	Faux
1. Le secteur des services emploie la majorité de la population active.	☐	☐
2. Certains services sont regroupés dans les espaces ruraux pour pouvoir subsister.	☐	☐
3. Les services publics se développent dans toutes les régions.	☐	☐
4. Les espaces de faible densité ont une densité inférieure à 10 hab./km².	☐	☐

Corrigés

1 Une France citadine
Fiche 33

Réponses a. et b. La plupart des centres des grandes aires urbaines perdent des habitants au profit des communes périurbaines. L'urbanisation du territoire s'accompagne d'une métropolisation, c'est-à-dire de la concentration des activités de commandement et de services dans les principales villes.

2 Le système urbain français
Fiche 34

Réponse b. L'aire urbaine de Paris compte 12,4 millions d'habitants. Elle est de loin l'aire urbaine la plus peuplée puisqu'elle représente 20 % de la croissance démographique du pays. Elle domine largement l'armature urbaine nationale puisqu'il n'existe aucune aire urbaine aussi peuplée en France.

3 Les espaces productifs industriels
Fiche 35

Réponses a. et c. Au XIXe siècle, les industries s'implantaient près de sources d'énergie, de matières premières et d'une main-d'œuvre abondante. Aujourd'hui, les facteurs de localisation sont la proximité avec un réseau de transport rapide et avec une métropole abritant une main-d'œuvre qualifiée.

4 Les espaces productifs agricoles
Fiche 36

Réponse a. La Bretagne s'est spécialisée dans l'élevage intensif hors-sol, c'est-à-dire en batterie, dans de vastes hangars. Ce type d'élevage permet de produire rapidement, de façon intensive et à moindre coût : on parle d'agriculture productiviste.

5 Les espaces de services et les espaces de faible densité
Fiches 37 et 38

1. **Vrai.**

2. **Vrai.**

3. **Faux.** Si les Français réclament toujours davantage de services publics de proximité, ceux-ci connaissent des logiques de regroupement ou disparaissent de certaines zones rurales.

4. **Faux.** Les espaces de faible densité ont une densité inférieure à 30 hab./km^2. En dessous de 10 hab./km^2, on parle d'espace désertifié.

Dynamiques territoriales de la France contemporaine

● Les aires urbaines, une nouvelle géographie d'une France mondialisée

armature urbaine	Ensemble des villes et de leurs zones d'influence.
fracture sociospatiale	Séparation au sein de l'espace urbain selon les fonctions urbaines ou le niveau de vie des populations.
métropole	Ville exerçant une influence sur un territoire donné, qu'elle contribue à structurer.
métro-polisation	Concentration des hommes, des activités et des fonctions de commandement dans les grandes villes.
migrations pendulaires	Déplacements quotidiens qui correspondent aux transports domicile-travail.

● Les espaces productifs et leurs évolutions

agriculture productiviste	Agriculture qui recherche la production maximale, souvent au détriment de la qualité ou de l'environnement.
délocalisation	Transfert d'une usine vers un autre espace pour réduire les coûts de production.
firme transnationale (FTN)	Grande entreprise qui possède de nombreuses filiales à l'étranger.
mondialisation	Mise en relation des différentes parties du monde par l'intermédiaire de nombreux échanges de toutes natures. Elle rend interdépendantes différentes régions du monde.
parc technologique (ou technopôle)	Espace spécialisé dans les hautes technologies associant industrie de pointe et recherche.

Les espaces de faible densité et leurs atouts

densité	Nombre d'habitants vivant sur un territoire d'un kilomètre carré.
déprise rurale	Abandon, dépeuplement et vieillissement des campagnes.
solde migratoire	Différence entre le nombre d'entrées et de sorties d'un territoire.

Les espaces productifs français

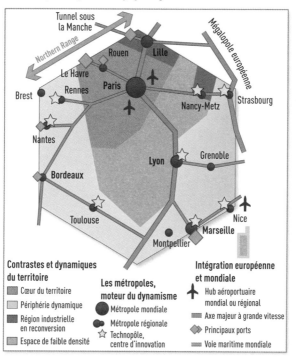

Contrastes et dynamiques du territoire
- ☐ Cœur du territoire
- ☐ Périphérie dynamique
- ☐ Région industrielle en reconversion
- ☐ Espace de faible densité

Les métropoles, moteur du dynamisme
- ● Métropole mondiale
- ◖ Métropole régionale
- ☆ Technopôle, centre d'innovation

Intégration européenne et mondiale
- ✈ Hub aéroportuaire mondial ou régional
- ▬ Axe majeur à grande vitesse
- ◈ Principaux ports
- ▬ Voie maritime mondiale

Récap' express

? QUIZ p. 91

Pourquoi et comment aménager le territoire français ?

1 Les objectifs de l'aménagement du territoire

A Renforcer la compétitivité des territoires

▶ Dans le contexte de la **mondialisation**, les territoires français sont en compétition avec d'autres régions, européennes ou mondiales.

▶ La compétitivité dépend de l'**accessibilité**. Les réseaux des transport et numérique sont développés pour lutter contre l'**enclavement**.

B Atténuer les inégalités économiques et sociales

▶ À l'**échelle nationale**, le nord et l'est de la France, la « diagonale du vide » ainsi que les territoires ultramarins ont un **taux de pauvreté** supérieur à la moyenne nationale.

▶ À l'**échelle régionale**, les inégalités sont parfois fortes entre les départements ou entre les espaces sous l'influence ou non d'une aire urbaine.

▶ À l'**échelle locale**, les pôles urbains concentrent davantage de personnes aux revenus modestes (retraités, étudiants) que les communes périurbaines.

C Rendre les territoires plus durables

▶ Depuis 1992, les collectivités territoriales doivent prendre des mesures dans le domaine du **développement durable** en se dotant d'**Agenda 21**.

> MOT CLÉ L'**Agenda 21** est un document qui fixe la mise en œuvre de chaque pilier du développement durable (social, économique et environnemental) à l'échelle d'un territoire.

▶ Les constructions d'écoquartiers, de pistes cyclables, de lignes de tramway, mais aussi de logements sociaux, répondent à ces objectifs.

2 Des acteurs et des actions multiples à toutes les échelles

A L'État et l'Union européenne

▶ Depuis 1963, l'État mène de grandes **politiques de rééquilibrage** du territoire français par l'intermédiaire de la Délégation à l'aménagement du territoire et à l'action régionale (**DATAR**) : aménagements touristiques, villes nouvelles, développement du réseau de transport, aménagement de zones industrialo-portuaires (ZIP). En 2014, la DATAR a pris le nom de **Commissariat général à l'égalité des territoires** (CGET).

▶ À l'échelle locale, l'État met en œuvre des **contrats de plan État-Région** pour subventionner des projets.

▶ Depuis 1975, le **Fonds européen de développement régional** (FEDER) fournit des aides financières afin de réduire les écarts entre les régions européennes.

B Les collectivités territoriales

▶ Depuis les **lois de décentralisation** de 1982-1983, des compétences de l'État ont été transférées aux collectivités territoriales (communes, départements et régions) dans les domaines des transports, de l'action sociale et de l'économie.

▶ Les **intercommunalités** comptent quatre types d'établissements publics de coopération intercommunale (**EPCI**) : communautés de communes (souvent regroupées en « pays »), communautés d'agglomération, communautés urbaines, métropoles. Les EPCI aménagent leur territoire dans le cadre des **schémas de cohérence et d'organisation territoriale** (SCOT).

▶ La **réforme territoriale**, mise en œuvre en 2016, a remplacé les 22 anciennes régions françaises par 13 nouvelles régions agrandies aux compétences renforcées (→ RABATS, I).

C Une plus grande implication des citoyens

▶ Les citoyens financent l'aménagement du territoire par leurs **impôts**. Ils peuvent donner leur avis lors d'**enquêtes publiques**.

▶ Des **entreprises privées** réalisent aussi des aménagements et peuvent les exploiter pour les acteurs publics (distribution de l'eau, gestion des autoroutes, des déchets, etc.).

CONCLURE

Les acteurs de l'aménagement du territoire sont nombreux et disposent de compétences propres. Les enjeux de l'aménagement du territoire correspondent aujourd'hui aux trois objectifs du développement durable.

(→ DÉPLIANT, VIII-IX)

? QUIZ p. 91

*Quels sont les espaces qui
permettent à la France d'être intégrée à la mondialisation ?*

1 *La mondialisation encourage la métropolisation*

A La mondialisation dynamise les grandes villes

▶ Les pouvoirs publics et les entreprises ont valorisé les métropoles particulièrement bien reliées au reste du monde.

▶ **Paris** concentre les fonctions de décisions politiques et économiques. Ses aéroports assurent environ

> CHIFFRES CLÉS **Paris concentre 19 % de la population française et réalise 30 % du PIB de la France.**

60 % du trafic aérien français et l'essentiel des échanges internationaux. La création du Grand Paris, au 1er janvier 2016, vise à renforcer encore son attractivité et sa compétitivité à l'échelle mondiale.

▶ Marseille, Lyon, Lille, Strasbourg et Nice concentrent suffisamment de **services de hauts niveaux** pour rayonner au niveau européen.

B L'émergence de territoires périurbains dynamiques

▶ Les grandes entreprises s'implantent de plus en plus dans des **parcs technologiques** bénéficiant d'une main-d'œuvre qualifiée et bien reliés aux réseaux de transport internationaux.

▶ Certains espaces résultent d'une politique menée par l'État et les collectivités locales : ce sont les 71 **pôles de compétitivité**.

2 *La mondialisation privilégie les interfaces*

A Les littoraux

▶ La politique d'aménagement de **zones industrialo-portuaires** (ZIP) a adapté la France à la littoralisation des activités. Les aménagements de moyens de transport et de **plateformes multimodales** ont contribué à l'insertion de l'industrie française à l'espace mondial. Ainsi, les ports de Fos-Marseille et du Havre enregistrent un trafic très important.

▶ Les **activités touristiques** permettent à certains littoraux d'être des espaces attractifs.

B Les régions frontalières

▶ Grâce à la libre circulation des biens, des services et des personnes mise en place par l'**Union européenne**, les régions frontalières sont devenues des interfaces.

▶ Les régions du Nord et de l'Est ont bénéficié de la **politique de reconversion** des zones minières et sidérurgiques. L'ouverture des frontières a favorisé l'essor des investissements étrangers.

▶ Environ 320 000 frontaliers français travaillent à l'étranger, où ils bénéficient de salaires plus élevés. L'essor du **travail transfrontalier** permet de stimuler les économies locales mais tend à faire monter les prix du foncier et sature les axes routiers.

3 *Des territoires en marge de la mondialisation*

A Les périphéries du territoire français

▶ Les **espaces ruraux** au centre du pays ou à l'écart des grands axes de transport, la plupart des **espaces montagnards** mais aussi les **territoires ultramarins** s'insèrent mal dans la mondialisation.

▶ L'éloignement, les contraintes du milieu et le faible peuplement expliquent leur **manque de dynamisme**.

▶ Bien que parcourus par des axes de transport autoroutiers ou des LGV, certains de ces territoires sont victimes de l'« **effet tunnel** ». Leurs activités économiques restent essentiellement résidentielles.

B Les politiques en faveur des espaces peu intégrés

▶ L'État s'allie aux collectivités territoriales autour de **projets d'équipement**. Des lignes de TGV pourvues de nombreuses gares sont à l'étude, des antennes relais sont posées pour réduire la fracture numérique.

▶ Les territoires ultramarins (→ FICHE 43) bénéficient de **financements** afin de soutenir les secteurs économiques, participer à la formation professionnelle, adapter les services de santé et d'éducation et moderniser les transports.

CONCLURE

La mondialisation renforce le poids des métropoles et des interfaces (littoraux et régions frontalières) du territoire français. Elle laisse néanmoins en marge les espaces peu connectés aux réseaux de communication.

(→ DÉPLIANT, XII)

QUIZ p. 91

*Quelles spécificités distinguent
les territoires ultramarins du territoire métropolitain ?
Quelles relations entretiennent-ils entre eux ?*

1 Les territoires de la diversité

A Une grande variété de statuts

La France dispose d'une présence planétaire grâce à ses territoires ultramarins.

▶ Les **départements et régions d'outre-mer** (DROM) – Guadeloupe, Martinique, Guyane, Mayotte (depuis 2011) et La Réunion – ont le même statut que les régions et départements de métropole.

▶ Les **collectivités d'outre-mer** (COM) rassemblent la Polynésie française, Saint-Barthélemy, Saint-Martin, Saint-Pierre-et-Miquelon et Wallis-et-Futuna.

▶ La Nouvelle-Calédonie et les terres australes et antarctiques françaises (TAAF), la terre Adélie et Clipperton ont des **statuts très divers** (tout comme les COM).

B Des situations géographiques diversifiées

▶ Les territoires ultramarins sont composés d'îles volcaniques situées en zone tropicale (Martinique, Guadeloupe, La Réunion). Ils sont donc exposés aux **aléas naturels** (éruptions, séismes, cyclones).

▶ La Guyane (→ FICHE 44) est le seul territoire ultramarin continental en zone équatoriale. Quelques archipels sont en zone polaire (Saint-Pierre-et-Miquelon, Kerguelen, terre Adélie…).

2 Des territoires qui peinent à se développer

A L'isolement

▶ Peuplés de 2,7 millions d'habitants, les territoires ultramarins sont très **éloignés de la métropole** (la Nouvelle-Calédonie est à 16 700 kilomètres de Paris).

▶ L'éloignement ainsi que l'**insularité** isolent les territoires ultramarins de la métropole mais aussi de leur environnement géographique immédiat.

B Une grande dépendance vis-à-vis de la métropole

▶ Les économies des territoires ultramarins sont dominées par un ou deux secteurs d'activité : extraction minière, pêche, tourisme, agriculture de plantation…

▶ L'apport d'**argent public** (salaires des fonctionnaires, prestations sociales…) fait augmenter le pouvoir d'achat, les importations et les prix. Le secteur privé, non protégé, est ainsi soumis à la concurrence des pays voisins à bas coûts.

▶ Les écarts de richesse entre les territoires ultramarins et leurs voisins attirent une **immigration**, souvent clandestine, qui concurrence les populations ultramarines déjà touchées par le **chômage.**

3 *Des territoires à aménager*

A Des atouts à mettre en valeur

▶ Les territoires ultramarins permettent à la France d'être présente militairement sur tous les océans. Ils lui assurent la 2e plus grande **zone économique exclusive** (ZEE), soit 11 millions de km^2 d'espaces maritimes.

> MOT CLÉ La ZEE est une zone de 200 milles nautiques (370 km) que l'État côtier peut exploiter de façon exclusive (minerais, pêche).

▶ Grâce à la diversité géographique des territoires ultramarins, la France dispose de produits tropicaux, de ressources minières (nickel en Nouvelle-Calédonie), d'espaces touristiques attractifs (Antilles) et d'un pas de tir de lancement spatial en Guyane.

B Des aménagements pour compenser les handicaps

▶ La France mène une **politique de continuité territoriale** avec ses territoires d'outre-mer (accès aux mêmes services publics qu'en métropole). Certains avantages fiscaux y attirent les investisseurs.

▶ Les DROM ont reçu le statut européen de **régions ultrapériphériques** (RUP). Des subventions européennes financent des infrastructures de transport, le secteur agricole, etc. (→ FICHE 48).

CONCLURE

Les territoires ultramarins souffrent de nombreux handicaps qui freinent leur développement. La France et l'UE tentent de compenser ces inégalités par des aides financières et des aménagements.

? QUIZ p. 91

Comment la France aménage-t-elle le territoire guyanais afin de répondre à ses spécificités ?

1 La Guyane, le plus grand territoire d'outre-mer

A Un vaste territoire

▶ Française depuis le XVIIᵉ siècle, l'ancienne colonie de Guyane est devenue un département en 1946.

Située à 7 000 kilomètres de la **métropole**, elle est le deuxième plus vaste département et région français, dont la superficie représente **16 % du territoire national**.

> **MOT CLÉ** Le terme métropole désigne ici la France métropolitaine, c'est-à-dire les territoires français situés en Europe.

▶ La Guyane est bordée au nord par l'océan Atlantique et partage ses frontières avec le Surinam à l'ouest et le Brésil au sud et à l'est (→ DÉPLIANT, XII). Seul territoire ultramarin continental, la Guyane est couverte à 94 % par la **forêt dense**, infime partie de l'Amazonie.

B Une faible population concentrée sur le littoral

▶ La Guyane n'est peuplée que de **250 000 habitants**, dont 90 % sont regroupés sur une étroite bande côtière où sont localisées les principales villes : Cayenne, Kourou, Saint-Laurent-du-Maroni.

▶ Toutes les activités s'y concentrent : élevage, riziculture, cultures maraîchères, artisanat, commerce.

C Un territoire attractif

▶ La Guyane constitue un **îlot européen**, riche et développé, au milieu d'un « océan de pauvreté ». Les migrants, pour la plupart illégaux, représenteraient 40 % de la population.

▶ Ces migrants sont nombreux à vivre de l'**orpaillage** (recherche et exploitation de l'or dans les rivières) et à peupler illégalement la forêt amazonienne et les bidonvilles qui se multiplient aux périphéries des grandes villes comme Cayenne.

2 Un enjeu stratégique majeur

A Pour l'aérospatiale

Le **centre spatial guyanais**, situé à Kourou, fournit près du quart des emplois. Cette base de lancement des fusées européennes Ariane représente 16 % du PIB guyanais. Elle bénéficie d'une latitude idéale pour placer en orbite les plus gros satellites. Sa large ouverture sur l'océan limite les risques d'accident sur terre.

B Pour la présence militaire française en Amérique

▶ La Guyane représente un enjeu géostratégique, permettant à la France d'être présente militairement sur le continent américain.

▶ Environ 2 000 hommes garantissent la sécurité du territoire et luttent contre l'immigration clandestine, la pêche et l'orpaillage illicites dans la **zone économique exclusive** (ZEE).

C Pour la connexion avec l'Amérique latine

▶ Isolée du reste du continent par la forêt amazonienne, tournée vers l'océan Atlantique, la Guyane appartient davantage à l'**espace caraïbe** qu'au continent américain.

▶ La France cherche à renforcer les liens avec l'Amérique latine en améliorant les **réseaux de transport** vers le Brésil (construction d'un pont sur l'Oyapock, routes nationales).

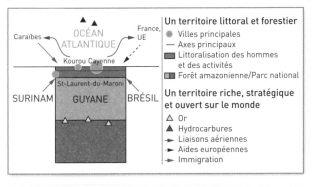

CONCLURE

La France est présente en Amérique latine grâce à son plus grand DROM. Mais la Guyane ne joue pas encore le rôle d'interface entre l'UE et l'Amérique latine.

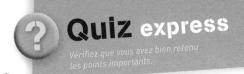
Pourquoi et comment aménager le territoire ?

1 *L'aménagement du territoire français : objectifs et acteurs*

Quels sont les acteurs de l'aménagement du territoire ?
☐ a. Les collectivités territoriales.
☐ b. Le Commissariat général à l'égalité des territoires (CGET).
☐ c. L'Union européenne.

2 *L'organisation du territoire français*

	Vrai	Faux
1. La mondialisation entraîne une littoralisation des activités.	☐	☐
2. La mondialisation dynamise les espaces ruraux.	☐	☐
3. Les DROM-COM sont bien insérés dans la mondialisation.	☐	☐

3 *Les territoires ultramarins : une problématique spécifique*

	Vrai	Faux
1. Les territoires ultramarins français font tous partie de l'Union européenne.	☐	☐
2. Les territoires ultramarins sont plus riches que les pays qui leur sont proches.	☐	☐
3. Les services publics sont présents en outre-mer comme en métropole.	☐	☐

4 *Un territoire ultramarin : l'exemple de la Guyane*

La Guyane est un territoire ultramarin propice au lancement des fusées Ariane car :
☐ a. elle est proche de l'équateur.
☐ b. elle est proche de l'océan Atlantique.
☐ c. elle est peu peuplée.

Corrigés

Score : ... / 11

1 L'aménagement du territoire français : objectifs et acteurs
Fiche 41

Réponses a., b. et c. L'État (par l'intermédiaire du CGET), les collectivités territoriales (à toutes les échelles) et l'Union européenne sont des acteurs de l'aménagement du territoire. En 2014, le CGET a remplacé la DATAR (Délégation à l'aménagement du territoire et à l'action régionale) créée en 1963.

2 L'organisation du territoire français
Fiche 42

1. Vrai. 80 % des échanges mondiaux empruntent la voie maritime, ce qui favorise les interfaces maritimes (ZIP) et entraîne un glissement des activités vers les littoraux.

2. et 3. Faux. Les DROM-COM attirent essentiellement des touristes français et, comme la plupart des espaces ruraux, ils sont peu intégrés dans les échanges internationaux.

3 Les territoires ultramarins : une problématique spécifique
Fiche 43

1. Faux. Seuls les DROM (départements et régions d'outre-mer) ont le statut de régions ultrapériphériques (RUP) et appartiennent à l'Union européenne. Les autres territoires de l'outre-mer français (les PTOM) ne font pas partie de l'UE, même s'ils peuvent bénéficier de certains programmes européens.

2. Vrai.

3. Vrai.

4 Un territoire ultramarin : l'exemple de la Guyane
Fiche 44

Réponses a. et b. L'attraction terrestre étant moins forte le long de l'équateur, la base de Kourou est idéalement située pour le lancement des fusées Ariane. Cette situation permet d'utiliser moins d'énergie donc moins de carburant. De plus, sa proximité avec l'océan minimise l'impact d'éventuels accidents.

Pourquoi et comment aménager le territoire ?

Aménager pour répondre aux inégalités croissantes entre territoires français, à toutes les échelles

cohésion territoriale	Politique visant à développer les solidarités entre les territoires pour réduire les inégalités.
compétitivité	Capacité d'un territoire ou d'une entreprise à résister à la concurrence économique.
décentralisation	Transfert de certaines compétences de l'État vers les collectivités territoriales.
enclavement	Isolement d'un territoire difficilement accessible et mal relié par les réseaux de transport.
espace en reconversion	Adaptation d'un territoire autrefois dédié à une activité (souvent industrielle) à une autre activité plus rentable (souvent tertiaire).
fracture numérique	Disparités d'accès aux technologies informatiques (Internet).
plateforme multimodale	Lieu de correspondance entre différents modes de transport.
zone industrialo-portuaire (ZIP)	Espace littoral associant des fonctions portuaires (accueil des marchandises) et industrielles (usines chimiques et raffineries de pétrole).

Les territoires ultramarins français : une problématique spécifique

insularité	Situation des territoires et des hommes isolés par la mer (îles). Souvent perçue comme un handicap (exiguïté du territoire, faiblesse des ressources, dépendance économique).
territoire métropolitain ou métropole	Territoire continental français et ses îles proches.

Les acteurs publics de l'aménagement des territoires

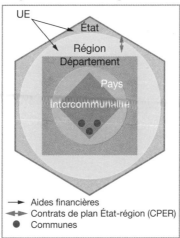

→ Aides financières
←→ Contrats de plan État-région (CPER)
● Communes

Des acteurs à différentes échelles	Outils d'intervention	Exemples d'intervention
Union européenne (UE)	FEDER	Aides aux régions défavorisées de l'UE
État	Commissariat général à l'égalité des territoires	LGV, autoroutes, parcs naturels nationaux
Région	Contrats de plan État-région	Construction et entretien des lycées, TER, PNR
Département	Direction départementale des territoires	Construction et entretien des collèges
Pays	Charte de pays	Mise en valeur du patrimoine
Intercommunalités, communes	SCOT	Rénovation urbaine, entretien des écoles

Récap'express

*Pourquoi peut-on qualifier l'Union
européenne de territoire en construction ?*

1 *L'Union européenne, un projet géopolitique*

A Un élargissement continu

▶ L'Union européenne (UE) est une organisation régionale initiée
par six États d'Europe de l'Ouest en 1951 (→ FICHE 20). Depuis les
traités de Rome en 1957 (CEE) et le **traité de Maastricht** en 1992
(UE), le nombre d'États membres est passé de 6 à 28. La chute
du mur de Berlin en 1989 et l'implosion de l'URSS en 1991 ont
entraîné un élargissement sans précédent à 12 États d'Europe centrale et orientale dans les années 2000 (→ DÉPLIANT, IV).

▶ La construction européenne est portée par des pays qui ont sur-
monté leurs divisions pour s'unir autour de **valeurs communes**
comme la démocratie, les Droits de l'homme et le **libéralisme**. L'UE
s'est ensuite recentrée sur son projet économique.

B Les institutions communautaires

▶ La **prise de décision** au sein de l'UE nécessite des institutions communautaires : le Parlement européen siège à Strasbourg et à Bruxelles,
la Commission européenne et le Conseil européen à Bruxelles, la
Banque centrale européenne (BCE) à Francfort (→ RABATS, VI).

▶ Des décisions concernant l'agriculture, l'environnement, la
recherche ou encore la justice y sont prises et s'imposent aux États
membres. Ces derniers restent néanmoins **souverains**.

2 *Une Europe à géométrie variable*

A Un projet ambitieux

▶ Le **marché unique** (1993) permet aux marchandises, aux capitaux et aux services de circuler librement à l'intérieur de l'UE.

▶ Une personne ayant la nationalité d'un État membre est de fait un
citoyen européen depuis le traité de Maastricht : il élit ses représentants au Parlement européen et peut être éligible à des mandats locaux,
même s'il n'a pas la nationalité du pays européen dans lequel il réside.

B Une Europe « à la carte »

▶ Pourtant, cette union à 28 ne concerne pas tous les domaines. En vigueur en 1995, l'**espace Schengen** ne concerne aujourd'hui que

> MOT CLÉ L'espace Schengen permet aux hommes de circuler librement, sans contrôle aux frontières, entre les pays signataires de l'accord.

22 États sur 28 et quatre autres États y sont associés.

▶ Depuis 2002, seuls 19 des 28 États européens ont adopté l'**euro**. Certains pays, comme le Danemark ou la Suède, refusent d'intégrer la zone euro, souhaitant conserver leur souveraineté dans le domaine monétaire. D'autres ne remplissent pas les conditions économiques nécessaires pour y adhérer.

3 Une construction inachevée

A L'Europe : jusqu'où ? (→ DÉPLIANT, IV)

▶ L'UE est un espace attractif. Les **candidatures d'adhésion** se multiplient : la Turquie, la Serbie, la Macédoine, le Monténégro et l'Albanie ont le statut de candidats officiels ; la Bosnie-Herzégovine et le Kosovo sont candidats potentiels. Ces candidatures posent la question des limites de l'Europe.

▶ Pour répondre en partie à l'attente des pays candidats, l'UE a mis en place en 2004 une **politique de voisinage** qui consiste à aider financièrement les États limitrophes.

B Un projet européen en crise

▶ Depuis 2008, l'UE rencontre un certain nombre de crises, financières et politiques, qui **menacent sa cohésion** : endettement excessif (Grèce depuis 2008), crise des migrants (2015), référendum sur la sortie du Royaume-Uni de l'UE (Brexit en 2016), attentats (France, Belgique, Allemagne).

▶ Certains partis politiques remettent donc en cause l'espace Schengen, souhaitant un retour aux frontières nationales. Dans de nombreux pays, l'**euroscepticisme** se renforce.

CONCLURE

L'UE est un projet géopolitique et économique ambitieux qui exerce une forte attractivité sur ses voisins. Mais le projet européen connaît aujourd'hui une crise sans précédent.

(→ DÉPLIANT, X-XI)

? QUIZ p. 105

Comment l'Union européenne essaie-t-elle de répondre aux disparités entre les territoires riches et développés et les régions en retard de développement ?

1 Des inégalités de richesse et de développement

A À l'échelle européenne

▶ Des inégalités importantes existent entre les États fondateurs de l'Union européenne (UE) et ceux plus récemment intégrés.

▶ Les pays d'Europe de l'Ouest et du Nord sont riches et développés, tandis que les pays d'Europe centrale et orientale sont plus pauvres et en **retard de développement**.

▶ Les États méditerranéens (Portugal, Espagne, Grèce) sont dans une situation intermédiaire. Leur économie, peu industrialisée, est caractérisée par un secteur touristique important. Leur rattrapage économique, entamé dans les années 1990, est aujourd'hui fragilisé par un **fort endettement** (Grèce).

▶ L'Europe orientale constitue la **périphérie** la plus lointaine de l'UE. Son agriculture est peu productive et ses services sont insuffisants. Elle constitue un réservoir de main-d'œuvre peu coûteuse, attirant les **délocalisations** d'usines du nord-ouest de l'Europe.

B À l'échelle des régions européennes

▶ La logique de la mondialisation met les **territoires en concurrence** et accroît les inégalités régionales en favorisant les territoires les mieux connectés au reste du monde, comme les métropoles et les littoraux.

▶ L'**Europe rhénane** (ensemble des territoires traversés par le Rhin) est le cœur démographique et économique de l'UE.

> INFO La dorsale européenne (ou mégapole européenne) regroupe les régions reliées à l'Europe rhénane et qui profitent de son dynamisme.

▶ En **Europe centrale et orientale**, les capitales sont plus développées que le reste du territoire national.

▶ Les territoires présentant de **fortes contraintes** (massifs monta-gneux, régions situées au nord de l'Europe, territoires ultramarins) sont souvent en retard de développement.

2 *Les politiques européennes pour réduire les inégalités*

A Cohésion et développement durable

▶ La solidarité entre les régions fait partie du projet européen. Le Fonds européen de développement régional (FEDER), créé en 1975, et le Fonds social européen (FSE) participent aujourd'hui à la « **politique de cohésion et de convergence** » entre les États membres.

▶ L'UE consacre **plus du tiers de son budget** à améliorer l'accessibilité des territoires, favoriser l'activité économique et la formation professionnelle des régions en retard de développement.

▶ Le **développement durable** est aussi au cœur des préoccupations européennes à travers les aides à la dépollution des régions industrielles en reconversion ou encore au développement rural des régions isolées.

> MOT CLÉ Le développement durable est un développement qui permet de satisfaire les besoins économiques, sociaux et environnementaux des générations actuelles sans compromettre ceux des générations futures.

B Des disparités qui s'accentuent au sein des États

▶ Les disparités de développement à l'intérieur des États membres ont aujourd'hui tendance à s'accentuer. Les régions espagnoles, irlandaises, hongroises et polonaises les plus éloignées de la **dorsale européenne** se dépeuplent et sont particulièrement touchées par le chômage.

▶ La Grèce, frappée par la **crise de la dette** en 2008, a bénéficié d'une aide financière d'urgence de la part de ses partenaires européens mais sa situation reste précaire.

CONCLURE

L'intégration de nouveaux États au sein de l'Union européenne entraîne l'augmentation des inégalités de développement et de richesses entre ses membres. L'enjeu des politiques communautaires est alors de réduire ces écarts par des aides financières dites de « cohésion ».

(→ DÉPLIANT, X-XI)

? QUIZ p. 105

Comment l'intégration à l'Union européenne transforme-t-elle le territoire français et particulièrement ses régions frontalières ?

1 La place de la France dans l'Union européenne

A L'insertion de la France dans le territoire européen

► La France est un des six **pays fondateurs** de l'Union européenne (UE) : elle participe à tous ses programmes (PAC, zone euro, espace Schengen). Le Parlement européen siège en partie à Strasbourg, une des capitales européennes.

► Les pays de l'UE sont ses **principaux partenaires commerciaux** (deux tiers des échanges). L'essentiel des investissements étrangers en France provient de ses voisins européens.

► **Carrefour européen**, ses infrastructures autoroutières et ferroviaires sont connectées avec le réseau européen : au nord (Eurostar vers Londres ; Thalys vers Bruxelles, Cologne et Amsterdam) ; à l'est (LGV Rhin-Rhône ; connexion du TGV Est avec l'Inter City Express allemand).

► Avec l'élargissement de l'UE vers l'est, l'enjeu des transports est primordial. Le **raccordement** est en cours au sud, vers l'Espagne (LGV L'Océane) et l'Italie (Lyon-Turin). La circulation des Français vers les pays européens est donc facilitée.

B L'influence européenne en France

► De nombreuses **FTN européennes** sont présentes en France : Airbus, dont le siège est basé à Toulouse, assemble les A 380 à partir de pièces produites en France, en Espagne, au Royaume- Uni et en Allemagne.

► Plus de 25 000 étudiants européens sont accueillis dans les universités et les grandes écoles françaises dans le cadre du programme d'échange **Erasmus.**

► La présence européenne en France s'inscrit également sur les principaux **bâtiments publics** (drapeau européen).

► Deux tiers des **lois** votées en France transposent en droit français des directives européennes.

2 Des régions transfrontalières très intégrées à l'UE : l'exemple de la Grande Région

A Les régions frontalières : des bassins de vie et d'emplois

▶ Avec la construction européenne, les régions frontalières sont devenues des espaces traversés par des flux intenses : ce sont des **interfaces.**

▶ La **Grande Région** (anciennement Saar-Lor-Lux) est un groupement européen de coopération territoriale (GECT) créé en 2010, situé entre le Rhin, la Moselle, la Sarre et la Meuse. Elle s'étend sur une superficie de 65 401 km² et regroupe des régions de quatre pays parmi les plus riches de l'UE : l'Allemagne, le Luxembourg, la Belgique et la France.

▶ Peuplée de 11,2 millions d'habitants, la Grande Région réalise 3 % du PIB de l'UE. Chaque jour, **200 000 travailleurs frontaliers** se rendent dans un pays voisin, dont 160 000 au Luxembourg.

B La coopération transfrontalière

▶ La Grande Région a pour but d'améliorer la coopération économique, politique et de développer les projets transfrontaliers. Elle perçoit des **aides financières** de l'UE.

▶ Les projets concernent aussi bien l'emploi que la culture, la santé, les transports et l'environnement. Mais l'**absence d'institutions communes** ralentit leur réalisation.

▶ Le **Luxembourg** reste le véritable moteur de la Grande Région et polarise les flux.

▶ L'importance de cette eurorégion est surtout **symbolique** : autrefois territoires de conflits, elle est aujourd'hui un espace de paix entre les peuples européens.

CONCLURE

L'intégration de la France à l'Union européenne permet le développement de régions transfrontalières traversées par des échanges économiques et des migrations humaines intenses.

? QUIZ p. 105

Quels sont la place et le rôle de la France dans le monde ?

1 Une puissance économique, touristique et culturelle

A Une puissance économique

► La France est la **5ᵉ puissance économique mondiale**. Une trentaine de ses FTN sont classées parmi les 500 premières mondiales.

► La France est une puissance commerciale bien **intégrée au processus de mondialisation** : ses principaux partenaires sont les pays de l'Union européenne (UE), les États-Unis, l'Asie-Pacifique et le Moyen-Orient.

B Une forte attractivité touristique

Avec plus de 84 millions de touristes accueillis en 2015, la France est la **1ʳᵉ destination touristique mondiale**. Son patrimoine historique, le rayonnement mondial de sa capitale, ses littoraux atlantiques et méditerranéens ainsi qu'un climat favorable sont ses principaux atouts.

C Une puissance culturelle

► La France exerce un rayonnement culturel mondial. Le français reste, avec près de **280 millions de francophones**, une des langues les plus parlées au monde. Les sommets de la **Francophonie** réunissent tous les deux ans les pays qui reconnaissent le français comme langue officielle.

► Le rayonnement linguistique de la France s'appuie aussi sur le réseau des lycées français à l'étranger (492 établissements), les centres culturels et l'**Alliance française**. Des médias comme TV5 Monde, France 24 ou Radio France internationale (RFI) sont reçus par plus de 200 millions de foyers et participent au *soft power* de la France.

2 Une puissance géopolitique fragile

A Une présence territoriale et humaine

► La France dispose de territoires ultramarins présents sur tous les continents (→ FICHE 43). Ceux-ci assurent à la France la deuxième plus grande **zone économique exclusive** (ZEE) du monde, soit 11 millions de km² d'espaces maritimes.

▶ Depuis la fin du XXe siècle, le nombre d'**expatriés français** ne cesse de croître. Ils seraient entre 1,5 et 2 millions à avoir quitté la France, dont plus de la moitié âgés de moins de 35 ans et résidant dans un pays européen.

B Un acteur géopolitique et militaire

▶ La France fait partie de toutes les organisations inter-nationales qui lui per-mettent de conserver

> MOT CLÉ Le *hard power* est la capacité de contrainte, par la force politique et militaire, tandis que le *soft power* est la capacité d'influencer par la culture et le mode de vie.

son *hard power* : elle est l'un des cinq membres permanents au Conseil de sécurité de l'Organisation des Nations unies (ONU). Elle dispose du **deuxième réseau diplomatique mondial**, derrière les États-Unis, par l'intermédiaire de ses consulats et ambassades.

▶ La France est également une **puissance militaire** qui possède l'arme nucléaire. L'armée française est présente à l'étranger où elle effectue des missions sous mandat international de l'ONU ou de l'Organisation du traité de l'Atlantique nord (OTAN), dont elle a réintégré le commandement en 2009 (après l'avoir quittée en 1966).

C Les limites de la puissance française dans le monde

▶ Les exportations françaises ne concernent que certains secteurs et dépendent essentiellement du marché européen. Les **coûts de pro-duction** sont élevés, ce qui rend la France peu compétitive face aux pays émergents (Chine).

▶ La puissance géopolitique de la France est remise en question. Depuis les interventions militaires récentes au Mali et en Syrie, la France est régulièrement touchée par des **actes de terrorisme** de la part de mouvements islamistes, alors que son budget militaire a baissé de 20 % depuis 1990.

CONCLURE

La France cherche à exercer une influence mondiale dans les domaines géopolitique et culturel. Si elle pèse dans les relations internationales, en partie grâce à ses interventions militaires, elle ne peut être considérée comme une grande puissance du fait de ses difficultés économiques et financières.

? QUIZ p. 105

*Quelles sont les forces et
les faiblesses de la puissance européenne dans le monde ?*

1 L'UE rayonne sur son voisinage

A Un centre attractif

▶ L'Union européenne (UE) est devenue un pôle de stabilité et de croissance, dont la force d'attraction s'exerce sur son voisinage. Cinq pays sont aujourd'hui des **candidats** officiels à l'adhésion à l'UE : la Macédoine (ARYM), le Monténégro, la Turquie, la Serbie et l'Albanie. Deux autres sont des candidats potentiels : la Bosnie-Herzégovine et le Kosovo (→ DÉPLIANT, IV).

▶ Afin d'assurer la stabilité et la prospérité économique des régions proches, l'UE a mis en place en 2004 une **politique européenne de voisinage**. Cette aide économique, de plus de 2,2 milliards d'euros annuels, permet d'atténuer les écarts de richesse et de développement à l'intérieur du continent.

B L'Union pour la Méditerranée

▶ La Méditerranée est une **aire de relations privilégiée** de l'UE. En 2008, l'Union pour la Méditerranée a été définie comme une « union de projets » et a fixé des objectifs concrets en termes de protection de l'environnement et de flux migratoires.

▶ Mais depuis les révolutions arabes (2011) et la montée des menaces islamistes, le processus est au point mort.

2 Une puissance économique et commerciale en recul

A Les attributs de la puissance européenne dans le monde

▶ L'UE est la **2ᵉ puissance économique** du monde, très proche des États-Unis en 2015, et une puissance financière attractive.

> CHIFFRES CLÉS L'UE réalise 22 % du PIB mondial et près de 32 % des échanges mondiaux. Elle attire 21 % des flux d'investissement étrangers mondiaux.

▶ L'UE participe à la **gouvernance économique mondiale**. Membre de l'Organisation mondiale du commerce (OMC), elle abrite un tiers des firmes transnationales (FTN) classées parmi les 500 premiers groupes mondiaux. Les points forts de son économie reposent sur les secteurs de l'énergie, de la banque et de l'assurance, de l'automobile, de la chimie, de la distribution, de l'aéronautique.

▶ Les ports situés entre Le Havre et Hambourg forment la façade maritime de la Northern Range, qui constitue une **interface dynamique**. Rotterdam, aux Pays-Bas, est une porte d'entrée du territoire européen et un nœud de redistribution des marchandises venues du monde entier.

▶ Avec 508 millions d'habitants, l'UE est enfin **le plus grand marché de consommation** du monde. La main-d'œuvre européenne, très qualifiée, participe à sa puissance économique.

B Les limites de la puissance européenne dans le monde

▶ Plus des deux tiers des échanges commerciaux sont **intra-européens**. Les politiques économiques des différents États membres sont peu coordonnées ; les États restent des concurrents dans le contexte de la mondialisation.

▶ Face aux grandes puissances mondiales (États-Unis, Chine), l'UE souffre d'un **manque d'unité politique**. Sans armée ni diplomatie communes, elle ne parvient pas à s'affirmer au sein de l'Organisation des Nations unies (ONU), où elle n'est qu'un observateur.

▶ L'UE est **fragilisée** par la dette publique de ses membres, la crise actuelle de l'euro, le vieillissement de sa population, les disparités économiques entre ses régions et la montée de l'euroscepticisme (Brexit en juin 2016).

▶ Enfin, elle doit faire face à de nombreux **défis** : la reconversion des activités industrielles en déclin, la dépendance énergétique, la compétitivité de ses activités agricoles et industrielles face à la concurrence des pays émergents (Brésil, Chine), la crise des migrants depuis 2015.

C O N C L U R E

L'Union européenne, puissance régionale au cœur du continent européen, est également une puissance économique à l'échelle mondiale. Cependant, l'insuffisance d'un projet politique commun constitue un frein majeur à son rayonnement mondial.

La France et l'Union européenne

1 *L'Union européenne, un territoire en construction*

	Vrai	Faux
1. La construction européenne avait pour premier objectif de faciliter les échanges économiques.	☐	☐
2. L'accord de Schengen permet la libre circulation des marchandises.	☐	☐
3. L'UE compte 28 membres.	☐	☐

2 *Les contrastes territoriaux dans l'UE*

La politique européenne de lutte contre les inégalités socio-économiques entre les pays membres est appelée :
☐ **a.** le FEDER.   ☐ **b.** la politique de rééquilibrage.
☐ **c.** la politique de cohésion.

3 *La France et l'intégration européenne*

Qu'est-ce qu'une région transfrontalière ?
☐ **a.** Une région périphérique dans son espace national.
☐ **b.** Un espace où les échanges sont massifs et organisés.
☐ **c.** Un espace où les échanges sont réciproques et équivalents.

4 *La France dans le monde*

Le rayonnement de la France à l'échelle mondiale s'effectue notamment grâce :
☐ **a.** au nombre important de ses expatriés et à son réseau de lycées français.
☐ **b.** à ses territoires ultramarins.
☐ **c.** au nombre de ses entreprises de rang mondial.

5 *L'Union européenne dans le monde*

Quelles sont les principales forces de l'Union européenne ?
☐ **a.** Son insertion dans la mondialisation.
☐ **b.** Ses échanges internes au marché unique.
☐ **c.** Son unité politique.

Corrigés

1 L'Union européenne, un territoire en construction
Fiche 47

1. et 2. Faux. À l'origine, le premier objectif de la construction européenne était de préserver la paix dans une Europe meurtrie par la guerre. La coopération économique n'était qu'un moyen pour atteindre cet objectif. L'accord de Schengen concerne la libre circulation des hommes.

3. Vrai. À l'heure actuelle, l'UE compte 28 membres, mais le Royaume-Uni a décidé de sortir de l'union en 2016 (Brexit). Le processus risque d'être long mais à terme, l'UE devrait compter 27 membres.

2 Les contrastes territoriaux dans l'UE
Fiche 48

Réponse c. La politique de cohésion menée par l'UE s'appuie sur des aides financières accordées aux régions en marge par le FEDER (Fonds européen de développement régional) et le FSE (Fonds social européen).

3 La France et l'intégration européenne
Fiche 49

Réponses a. et b. La réciprocité des relations n'est pas la règle générale du fonctionnement des espaces transfrontaliers. Dans le cas de la Grande Région, les flux de travailleurs frontaliers vers le Luxembourg dominent largement l'ensemble des déplacements humains.

4 La France dans le monde
Fiche 50

Réponses a. et b. Ses nombreux territoires ultramarins permettent à la France d'avoir des bases militaires partout dans le monde. Ses expatriés et le réseau des lycées français font rayonner la culture française au-delà de ses frontières. Néanmoins, aucune FTN française ne se hisse parmi les 20 premières mondiales.

5 L'Union européenne dans le monde
Fiche 51

Réponses a. et b. L'UE est la 1re puissance commerciale mondiale grâce à ses échanges intracommunautaires. Cette zone de libre-échange permet aux pays européens de mieux s'insérer dans la mondialisation. Mais l'UE ne parvient pas à parler d'une seule voix lors des grandes crises politiques mondiales.

La France
et l'Union européenne

LES IDÉES ESSENTIELLES

▶ L'Union européenne est une organisation régionale économique et politique ambitieuse. Cependant, son élargissement entraîne l'augmentation des inégalités entre ses membres, que l'UE tente de réduire par une **politique de cohésion**.

▶ Le territoire français bénéficie de son **intégration à l'UE** : en position de carrefour, son réseau de transport est particulièrement bien relié à celui de ses partenaires et les régions transfrontalières sont très dynamiques.

▶ L'Europe et la France cherchent à exercer une influence mondiale dans les domaines économique, géopolitique et culturel. Si l'UE est un **pôle majeur de la mondialisation**, elle peine encore à rayonner politiquement. La France reste une puissance « moyenne » qui rencontre de nombreux freins économiques et financiers à son rayonnement.

LES DÉFINITIONS CLÉS

● *L'Union européenne, un nouveau territoire de référence et d'appartenance*

euroscepticisme	Ensemble des critiques apportées à l'Union européenne, notamment l'affaiblissement de la souveraineté des États membres.
libéralisme	Politique économique qui atténue le rôle de l'État en diminuant les réglementations et la part du secteur public dans l'économie.
organisation régionale	Association d'États qui délèguent, par un traité, l'exercice de certaines compétences à des institutions communes.
politique de cohésion et de convergence	Politique d'investissements ayant pour objectif de réduire les écarts de développement entre des régions.

● La France et l'Europe dans le monde

Alliance française	Réseau de 819 associations enseignant la langue et la civilisation françaises dans le monde, subventionnées par l'État.
francophonie	La francophonie (avec un « f » minuscule) désigne les locuteurs de français ; la Francophonie (avec un « F » majuscule) désigne les institutions organisant les relations entre les pays francophones.
interface	Lieu d'échanges privilégié entre un espace et le reste du monde (littoral, frontière, aéroport, port).
« puissance douce » (ou *soft power*)	Capacité d'un État à exercer une influence culturelle sur le monde. Elle s'oppose à la puissance « dure » (« *hard power* ») qui s'exprime par la présence militaire et l'influence politique.

> LA CARTE À MÉMORISER

● La France dans le monde

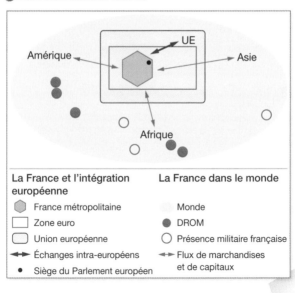

La France et l'intégration européenne

- ⬡ France métropolitaine
- ▢ Zone euro
- ▢ Union européenne
- ◄► Échanges intra-européens
- • Siège du Parlement européen

La France dans le monde

- Monde
- ● DROM
- ○ Présence militaire française
- ◄► Flux de marchandises et de capitaux

Récap' express

? QUIZ p. 115

Comment identifier et protéger mes identités ?

1 Mes différentes identités

A L'identité légale

C'est celle qui permet de reconnaître officiellement une personne. Chacun de nous est **unique** et possède sa propre identité légale qui figure sur sa carte d'identité et sur des actes d'état civil. Elle rassemble notamment le nom, la date de naissance et la nationalité.

B L'identité personnelle

L'identité personnelle est liée au parcours et à la **personnalité** de l'individu. Chacun construit sa propre identité en interaction avec son entourage, au fil des événements de la vie, prévus ou imprévus.

> MOT CLÉ La personnalité désigne l'ensemble des attitudes, comportements et émotions qui caractérisent une personne.

C L'identité numérique

Elle désigne l'**ensemble des données personnelles** que l'on trouve sur Internet au sujet d'une personne. Ces informations sont en général transmises par les individus eux-mêmes sur les blogs, les réseaux sociaux ou lors d'achats faits en ligne.

2 Des identités exposées à des risques

A Le vol de données personnelles

L'**usurpation d'identité** consiste à prendre l'identité d'une personne vivante dans le but d'en tirer des avantages. Elle est interdite par la loi et **sévèrement sanctionnée** (jusqu'à un an d'emprisonnement et 15 000 euros d'amende).

B Internet et vie privée

▶ Les informations personnelles ne sont jamais totalement confidentielles, même si des **précautions** peuvent être prises (réglage des paramètres de confidentialité).

▶ Les internautes laissent des **traces volontaires** (un commentaire sur un blog), mais aussi des traces involontaires de leur activité numérique (**cookies**).

? QUIZ p. 115

*De quels groupes et communautés
ai-je le sentiment de faire partie ?*

1 Les différents types de sentiments d'appartenance

► Se sentir appartenir à un groupe, c'est avant tout se sentir proche de ses membres, par le partage des mêmes **centres d'intérêt** (pratique d'un sport) ou des mêmes **expériences** (origine, métier).

► Des individus se sentent proches parce qu'ils partagent les mêmes **valeurs** : valeurs civiques (la liberté) ou valeurs portées par des groupes spécifiques (sens de l'effort dans les associations sportives).

> **MOT CLÉ** Une valeur est une cause à défendre ou un idéal à atteindre.

► Au-delà des valeurs, des groupes humains partagent parfois **toute une manière de vivre**. Leurs membres ont les mêmes goûts (musicaux, vestimentaires) et une vision commune de la société (« gothiques » ou skateurs par exemple).

2 Des appartenances multiples en chaque individu

A Des appartenances à plusieurs échelles

► Beaucoup de nos sentiments d'appartenance portent sur des groupes réduits, tels que la **famille** ou les **amis**. Mais ils peuvent aussi concerner des ensembles plus vastes, comme une **communauté nationale**, **religieuse** ou **linguistique** (francophonie).

► L'ensemble le plus vaste qui soit est l'**humanité**. Par leur mode de vie ou leur engagement, certains individus ressentent profondément ce sentiment d'appartenir à une seule et même communauté humaine. Ainsi, des hommes militent pour la cause écologiste afin de permettre aux futures générations de vivre sur une Terre préservée.

B L'emboîtement des appartenances

Nos sentiments d'appartenance multiples se superposent et composent toute la complexité de nos identités. Cette superposition nous est propre et fait alors de nous des **individus uniques**.

QUIZ p. 115

*Quels liens unissent les citoyens
en France et en Europe ?*

1 *Des principes et des valeurs à défendre*

A Les fondements de la citoyenneté

► La citoyenneté est le fait de reconnaître à une personne la qualité de citoyen, de membre actif d'une société. Cette qualité s'obtient avec la **nationalité**.

► Les citoyens ont des **droits** (liberté d'expression, vote…) et des **devoirs** (respecter les lois, payer ses impôts). Ils possèdent une part de la **souveraineté** nationale qu'ils exercent par le vote.

> MOT CLÉ La souveraineté désigne le droit absolu d'exercer une autorité sur un pays ou sur un peuple.

B Valeurs républicaines et européennes

► Se sentir citoyen, c'est aussi adhérer à des valeurs républicaines : la **liberté**, l'**égalité**, la **fraternité** et la **laïcité**.

► Depuis le traité de Maastricht (1992), les citoyens des pays membres de l'Union européenne (UE) sont aussi des citoyens européens. Cette citoyenneté s'accompagne de **droits** (pouvoir étudier dans tout pays de l'UE par exemple) et repose sur des **valeurs** : liberté, égalité, démocratie et respect des Droits de l'homme.

2 *Des symboles pour incarner ces valeurs*

► Les valeurs de la citoyenneté française sont incarnées par des symboles : le **drapeau**, l'**hymne** (*La Marseillaise*), la **devise** qui reprend les grandes valeurs républicaines (Liberté, Égalité, Fraternité), **Marianne** ou le **14 juillet**.

► Des symboles de la citoyenneté européenne ont été instaurés pour renforcer le sentiment d'appartenance des Européens : un **drapeau**, une **devise** (« Unis

> INFO Composé de douze étoiles de taille égale, le drapeau européen symbolise l'union et la solidarité entre les peuples européens.

dans la diversité ») et un **hymne** (tiré de la *Neuvième symphonie* de L. van Beethoven). Une **journée de l'Europe** est instituée le 9 mai.

? QUIZ p. 115

*De quels droits fondamentaux
doivent bénéficier l'ensemble des êtres humains ?*

1 Les Droits de l'homme : reconnaissance et application

A Des textes fondateurs

▶ En 1789, la **Déclaration des droits de l'homme et du citoyen** (DDHC) affirme l'existence de droits naturels (liberté, égalité), universels (ils concernent tous les êtres humains) et inaliénables (ils ne peuvent être retirés).

▶ En 1948, la **Déclaration universelle des droits de l'homme** (DUDH) est adoptée par l'Organisation des Nations unies (ONU). Elle réaffirme ces droits fondamentaux et ajoute le droit à la vie.

▶ La DUDH est le **fondement du droit international** relatif aux Droits de l'homme.

B Des droits fondamentaux pas toujours respectés

▶ Dans de nombreux pays, même signataires de la DUDH (la Colombie par exemple), une partie de la population reste privée de nombreux droits (liberté d'expression, accès aux soins…).

▶ Dans des sociétés reconnues comme démocratiques, **des progrès restent souvent à accomplir**. En France, les femmes perçoivent toujours des salaires inférieurs de 20 % à ceux des hommes.

2 Les droits de l'enfant

▶ Depuis la signature de la **Convention internationale des droits de l'enfant** en 1989, les enfants bénéficient de droits spécifiques (protection et instruction) qui évoluent en fonction de leur âge.

▶ En France, un enfant possède des droits dès sa naissance, puis en obtient d'autres en grandissant (droit de travailler en tant qu'apprenti à partir de 15 ans par exemple). Il reste soumis à l'**autorité parentale** jusqu'à ses 18 ans.

> MOT CLÉ **L'autorité parentale** désigne l'ensemble des droits et des obligations que les parents ont vis-à-vis de leurs enfants (veiller à leur sécurité, assurer leur éducation).

QUIZ p. 115

La justice désigne ici l'institution chargée de faire appliquer le droit. Comment fonctionne-t-elle dans une société démocratique ?

1 La nécessité de la justice

▶ La justice sert à **protéger** les libertés, les intérêts et la sécurité de chacun ; à **punir** ceux qui ne respectent pas les

> MOT CLÉ Un litige est un différend entre deux ou plusieurs parties.

règles (justice pénale) ; à **trancher les litiges** entre personnes (justice civile) ou entre particuliers et administration (justice administrative).

▶ La justice est à la **base du fonctionnement d'une société démocratique.** Les citoyens peuvent y faire appel s'ils estiment leurs droits bafoués. Ils sont inculpés s'ils ne respectent pas les lois de la République.

2 Les principes de la justice

Ils garantissent son **fonctionnement démocratique** : la présomption d'innocence (tout individu est considéré comme innocent jusqu'au verdict du juge) ; les droits de la défense (avoir un avocat, échanger des arguments avec l'accusation) ; les voies de recours (demander à être rejugé) et l'égalité d'accès pour tous.

3 Les différentes cours de justice

Il existe de **nombreux tribunaux** selon les types d'affaires, tels que :
– le tribunal de police, pour les infractions les moins graves ;
– le tribunal correctionnel, pour les délits (peines allant jusqu'à 10 ans d'emprisonnement) ;
– la cour d'assises, pour les crimes (peines de prison allant jusqu'à la perpétuité) ;
– la cour d'appel, qui rejuge une affaire lorsque l'une des parties conteste la décision du tribunal ;
– le tribunal de grande instance pour les affaires civiles (divorces) ;
– le conseil des prud'hommes, pour les affaires opposant salariés et employeurs ;
– le tribunal administratif, pour les affaires mettant en cause l'État.

? QUIZ p. 115

*Comment les lois sont-elles élaborées
dans une démocratie représentative comme la France ?*

1 La loi et l'état de droit

A La nécessité de la loi

▶ Les lois sont à la base de la vie en **société organisée**, car elles permettent d'adopter des règles communes. Elles sont la source du droit (appliqué ensuite par la justice).

▶ Les lois imposent des **obligations**, mais permettent aussi de mettre en œuvre des **politiques publiques** (comme en réformant l'école) ou de reconnaître des **droits** (comme le mariage pour tous).

B L'expression du peuple

▶ En France, le peuple est à l'origine des lois. Il exprime sa volonté par l'intermédiaire de **représentants élus** (c'est la démocratie représentative).

▶ Le **référendum** permet d'associer plus étroitement le peuple pour le vote de lois particulièrement importantes (ratification d'un traité, révision de la Constitution).

> **MOT CLÉ** Un référendum est un vote direct des électeurs qui répondent « oui » ou « non » à une question législative précise.

2 Les étapes de l'élaboration d'une loi (→ DÉPLIANT, VI)

▶ L'initiative d'une loi peut venir du gouvernement (projet de loi) ou des parlementaires (proposition de loi). Néanmoins, le **pouvoir législatif** (pouvoir de faire les lois) appartient uniquement aux deux chambres du **Parlement** : Assemblée nationale et Sénat.

▶ La complexité du parcours d'une loi permet de respecter les **règles de fonctionnement de la démocratie** : les députés et les sénateurs débattent, modifient et votent les lois.

▶ Avant la promulgation d'une loi par le président de la République, le Conseil constitutionnel doit vérifier qu'elle respecte les **règles de la Constitution** (qui représente la loi suprême) et le Conseil d'État qu'elle est conforme aux traités internationaux signés par la France.

La sensibilité • Le droit et la règle

1 Mes identités

	Vrai	Faux
1. Mon identité légale ne peut jamais changer.	☐	☐
2. Mon identité numérique dépend des informations que je transmets.	☐	☐

2 Citoyen français et citoyen européen

Reliez chaque symbole à sa définition.

1. La devise française. •　　• a. Elle reprend les valeurs de la citoyenneté française.

2. La *Marseillaise*. •　　• b. Fête nationale célébrant la prise de la Bastille en 1789.

3. Le 14 juillet. •　　• c. Journée de l'Europe.

4. Le 9 mai. •　　• d. Chant patriotique écrit pendant la Révolution française.

3 Les droits fondamentaux

La Déclaration des droits de l'homme et du citoyen :
☐ a. date de la Révolution française.
☐ b. reconnaît le droit à la vie.
☐ c. reconnaît aux hommes des droits naturels.

4 Le fonctionnement de la justice

	Vrai	Faux
1. Les délits sont jugés par la cour d'assises.	☐	☐
2. En France, c'est au procureur d'apporter la preuve de la culpabilité d'un prévenu.	☐	☐

5 L'élaboration des lois

Remettez dans l'ordre ces différentes étapes.

1. Promulgation par le président de la République. **2.** Navette parlementaire entre les deux assemblées. **3.** Application de la loi. **4.** Dépôt d'un projet de loi par le gouvernement.

Corrigés

1 Mes identités
Fiche 54

1. **Faux.** Certaines données personnelles peuvent évoluer comme le nom ou la nationalité.

2. **Vrai.**

2 Citoyen français et citoyen européen
Fiche 56

1. **a.** 2. **d.** 3. **b.** 4. **c.** Le 9 mai fait référence au discours de Robert Schuman (alors ministre français des Affaires étrangères) de 1950 qui est considéré comme un acte fondateur de la construction européenne.

3 Les droits fondamentaux
Fiche 57

Réponses a. et c. La DDHC a été adoptée le 26 août 1789, donc au début de la Révolution française. Elle reconnaît une « première génération » de Droits de l'homme comme la liberté, l'égalité mais aussi la sûreté ou le droit à la propriété privée. Le droit à la vie fait partie d'une « seconde génération » de Droits de l'homme, reconnus plus récemment.

4 Le fonctionnement de la justice
Fiche 58

1. **Faux.** Les délits (vol, fraude fiscale...) sont jugés par le tribunal correctionnel et les crimes (meurtres, viols...) par la cour d'assises.

2. **Vrai.** La présomption d'innocence suppose qu'un prévenu est considéré comme innocent jusqu'au verdict du juge. C'est pour cela que les journaux ne peuvent diffuser de photographies montrant un individu menotté tant qu'il n'a pas encore été reconnu coupable par un tribunal. C'est à l'accusation (au procureur de la République) d'apporter la preuve de la culpabilité d'un accusé et le doute doit lui bénéficier.

5 L'élaboration des lois
Fiche 59

4. 2. 1. 3. La navette parlementaire désigne le mouvement de va-et-vient d'un projet de loi entre l'Assemblée nationale et le Sénat. Le texte, modifié durant les débats parlementaires, doit être adopté dans les mêmes termes par les deux assemblées.

La sensibilité

● Une pluralité d'appartenances : l'exemple d'un élève de troisième

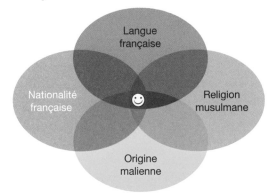

Les individus ressentent de multiples sentiments d'appartenance qui s'emboîtent et se superposent. Cet élève se sent ici appartenir à plusieurs communautés nationales (malienne et française), à une communauté religieuse et à une communauté linguistique. Il pourrait aussi ressentir d'autres sentiments d'appartenance : à sa famille, son collège ou encore à la communauté européenne.

> LES DÉFINITIONS CLÉS

égalité	Principe selon lequel tous les hommes ont les mêmes droits et doivent être traités de la même manière.
identité	Ensemble des données qui permettent de définir une personne et de la différencier des autres.
liberté	Droit de « faire tout ce qui ne nuit pas à autrui » selon la DDHC (1789).

Le droit et la règle

● *Les droits fondamentaux de l'être humain*

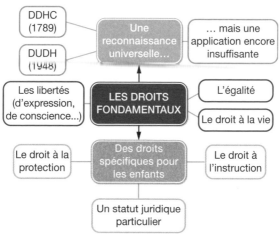

Plusieurs textes fondateurs reconnaissent aux hommes des droits fondamentaux comme l'égalité, le droit à la vie ou les différentes formes de liberté. En tant qu'individus vulnérables et en pleine croissance, les enfants bénéficient de droits spécifiques. Néanmoins, ces droits universellement reconnus ne se sont pas toujours respectés.

LES DÉFINITIONS CLÉS

état de droit	Système dans lequel tous les individus mais aussi l'État sont soumis au droit.
Constitution	Loi fondamentale qui fixe l'organisation et le fonctionnement de l'État.
justice	Le terme peut avoir un sens moral (agir de manière juste) ou légal (respecter les lois). Il peut aussi désigner l'institution chargée de faire appliquer le droit.

Récap'express

QUIZ p. 125

Une discrimination consiste à traiter différemment certaines personnes par rapport à d'autres. Pourquoi faut-il lutter contre cette inégalité de traitement ?

1 L'égalité, une valeur au cœur du projet républicain

▶ « Les hommes naissent et demeurent libres et égaux en droit » (DDHC, art. 1). L'égalité est une des valeurs principales de la République française. C'est une **cause à défendre** et un **idéal à atteindre**.

▶ Les sociétés démocratiques reconnaissent deux formes d'égalité : l'**égalité politique** (les citoyens ont tous les mêmes droits et devoirs) et l'**égalité morale** (tout le monde a droit au respect, à la dignité et à la liberté).

▶ La discrimination s'oppose à l'égalité : elle est **antirépublicaine**.

2 Le combat contre les discriminations

▶ En France, la **loi** distingue 20 critères qui permettent de définir plusieurs types de discrimination : raciales, religieuses, antisémites, xénophobes, sexistes ou encore homophobes.

▶ Les discriminations sont **punies par la loi** française.

▶ Elles peuvent être difficiles à prouver, c'est pourquoi des associations s'engagent en soutenant les victimes, en les assistant lors des procès ou en recourant à des opérations de *testing*.

> **MOT CLÉ** Un *testing* (ou test de discrimination) est une expérimentation menée dans le but de déceler une discrimination.

3 La question des inégalités sociales

▶ Les inégalités sociales **ne sont pas des discriminations**, car elles ne reposent pas sur des critères illégaux.

▶ Même si l'égalité sociale n'est pas un droit reconnu, il n'en est pas moins nécessaire, **au nom de l'égalité morale et du droit à la vie**, d'ouvrir des droits aux citoyens les plus pauvres pour améliorer leurs conditions de vie.

? QUIZ p. 125

*Comment la laïcité permet-elle
de mieux vivre ensemble ?*

1 Un principe d'organisation de la société

A Historique de la loi de 1905

▶ L'idée de laïcité naît avec l'affirmation de la **liberté de conscience** en 1789. Elle s'enracine au XIXᵉ siècle chez les républicains, en réaction à l'influence de l'Église catholique.

▶ La laïcité, d'abord instaurée à l'école, est étendue à toute la société à partir de la loi de 1905. L'État adopte une stricte **neutralité à l'égard de toutes les religions** et ne finance plus aucun culte.

B Une République laïque (Constitution, art. 1ᵉʳ)

La laïcité devient un **principe républicain**. Le fonctionnement de la société repose désormais sur la séparation entre l'espace privé, lieu de la liberté de conscience, et l'espace public, lieu de la citoyenneté et de l'intérêt général.

2 Une valeur pilier de la République française

▶ **Aucune distinction** fondée sur la religion ne peut être faite entre les citoyens : tous ont les mêmes droits et les mêmes devoirs.

▶ La laïcité est un facteur d'**égalité**. Elle favorise la **tolérance** en instaurant un respect de toutes les croyances. Le « vivre-ensemble » suppose aussi des efforts d'ouverture : la liberté de conscience s'accompagne en retour d'une **acceptation des croyances des autres**.

3 D'importants enjeux actuels

▶ Les citoyens sont libres d'exprimer leur avis sur les religions. La laïcité s'accompagne du **respect des opinions** de chacun, même si celles-ci peuvent heurter des croyances.

▶ La **Charte de la laïcité à l'école** reprend les règles à appliquer dans les établissements scolaires, comme l'interdiction de porter des signes religieux trop visibles. En effet, cette valeur républicaine donne parfois lieu à de vifs débats et nécessite d'être vécue, expliquée et défendue à l'école.

? QUIZ p. 125

Quels principes un État doit-il respecter pour être considéré comme démocratique ?

1 Les caractéristiques d'une démocratie

▶ La **séparation des trois pouvoirs** législatif, exécutif et judiciaire, la fréquente **consultation du peuple** et le **pluralisme politique** (l'existence de plusieurs partis politiques) garantissent le fonctionnement démocratique d'un État.

▶ Le pouvoir est détenu ou contrôlé par le peuple, qui exerce sa **souveraineté** par le suffrage universel.

▶ Les citoyens bénéficient de l'**égalité politique**. Ils ont des droits et doivent respecter des devoirs.

2 Les régimes démocratiques

▶ Les démocraties directes ont aujourd'hui disparu au profit de **démocraties représentatives**.

▶ On parle de **démocratie participative** lorsque des dispositifs sont mis en place pour augmenter le rôle des citoyens dans la prise de décision (conseils de quartiers par exemple).

▶ Un « indice de démocratie » a été créé pour **évaluer le niveau démocratique** d'un pays. En 2015, la France a ainsi été classée au 27e rang mondial : par exemple, malgré les lois en faveur de la parité, la vie politique reste peu ouverte aux femmes.

3 Les régimes non démocratiques

▶ Les dictatures se caractérisent par la **concentration des pouvoirs** aux mains d'une personne (monarchie) ou de quelques personnes (oligarchie), par l'absence de consultation du peuple et d'alternance politique.

▶ Une république n'est **pas nécessairement une démocratie**. En République populaire de Chine, seul le Parti communiste est autorisé et des opposants politiques sont emprisonnés. À l'inverse, le Royaume-Uni est une monarchie parlementaire qui respecte les principes de la démocratie.

? QUIZ p. 125

*Pourquoi et comment des citoyens
s'engagent-ils au niveau associatif, syndical ou politique ?*

1 La diversité des engagements

▶ Depuis la loi de 1901, les associations doivent être composées d'au moins deux personnes et avoir des statuts déposés en préfecture. Celles-ci doivent **partager un but ou un intérêt commun**.

▶ La France compte un million d'associations (regroupant 11 millions de bénévoles) dont la variété est infinie, allant d'une petite association de quartier à une **ONG** présente dans différents pays.

> **MOT CLÉ** Une organisation non gouvernementale (ONG) fonctionne de manière autonome, sans dépendre d'un État.

▶ Les citoyens peuvent aussi s'engager dans des **syndicats** ou dans des **partis politiques**. Il existe aujourd'hui une cinquantaine de partis nationaux et plusieurs centaines de micro-partis impliqués

> **MOT CLÉ** Les syndicats sont des associations professionnelles qui regroupent des personnes exerçant des métiers similaires pour défendre des intérêts communs.

uniquement dans la vie politique locale. Les citoyens peuvent être sympathisants, adhérents, donateurs ou militants.

2 Les enjeux de l'engagement citoyen

▶ Intégrer ces structures est une **démarche volontaire**. Les citoyens choisissent de s'y engager lorsqu'ils sont en accord avec les objectifs et le mode de fonctionnement.

▶ Ces structures permettent aussi aux citoyens de mener des actions collectives **pour défendre leurs idées ou leurs intérêts**. Les syndicats peuvent par exemple engager des actions de protestation (pétitions ou grèves).

▶ Les associations, syndicats et partis politiques sont **nécessaires** pour porter des attentes, défendre des droits ou exprimer des choix politiques (et permettre ainsi le pluralisme politique).

? QUIZ p. 125

Comment les hommes se protègent-ils des risques qu'ils ont contribué à créer ?

1 Les responsabilités face aux risques majeurs

▶ On distingue les **risques naturels** (liés à un **aléa** naturel, comme un tremblement de terre) des **risques technologiques** (liés aux activités humaines, comme l'explosion d'une usine).

> **MOT CLÉ** Aléa signifie « coup de dés » en latin. Il désigne un hasard défavorable.

▶ L'ensemble des biens et des personnes susceptibles d'être affecté par un aléa représente l'enjeu. Le risque est constitué de la **superposition de l'aléa et des enjeux dans un même lieu**. Les hommes peuvent donc, par leur présence, avoir occasionné le risque.

2 De la responsabilité à l'engagement

▶ Les pouvoirs publics mettent en place des **mesures de prévention**. Par exemple, chaque établissement scolaire doit élaborer un PPMS (Plan particulier de mise en sûreté) en fonction des risques locaux.

▶ On parle de catastrophe lorsqu'un événement cause des **dégâts particulièrement importants**. Au niveau local, les secours (pompiers, SAMU, etc.) sont coordonnés par le préfet pour permettre des interventions rapides et efficaces.

3 La sécurité au quotidien

▶ Les sociétés humaines sont confrontées à d'autres formes d'insécurité, liées à des **dangers directement dus aux hommes** : les atteintes aux personnes et aux biens, la mortalité routière, la mauvaise qualité de l'alimentation qui peut nuire à la santé des consommateurs…

▶ La police nationale (dans les zones urbaines) et la gendarmerie (dans les zones rurales) sont chargées de veiller à l'**ordre public**. Des mesures sont adoptées en faveur de la **sécurité routière** (limitation de la vitesse sur les routes) et de la **sécurité alimentaire** (contrôle de la provenance des aliments).

? QUIZ p. 125

Comment la France et ses citoyens participent-ils à la sécurité mondiale ?

1 Les engagements militaires français

▶ Avec une armée de 300 000 hommes, la France est une **puissance militaire** de premier plan.

▶ Elle est capable d'intervenir rapidement partout dans le monde grâce aux 15 000 soldats de ses **bases militaires** (Mali en 2013, Irak en 2014, Syrie en 2015).

2 Les engagements solidaires et coopératifs

▶ Les interventions militaires françaises sont toujours menées avec l'accord de l'**Organisation des Nations unies** (ONU).

▶ La France participe aussi directement à des opérations militaires dans le cadre de l'ONU (République centrafricaine), de l'**OTAN** (Syrie) ou de l'**Union européenne** (côtes somaliennes).

▶ Pour aider les populations en difficulté, les militaires jouent souvent un **rôle humanitaire direct** (distribution de nourriture…).

▶ La France apporte un soutien financier aux pays en grande difficulté sous la forme d'**aides publiques au développement** (APD).

3 Les Français et la Défense nationale

▶ La Journée défense et citoyenneté (JDC) est la troisième étape du **parcours de citoyenneté**.

▶ Elle permet aux jeunes Français de découvrir la communauté militaire. Elle montre aussi que l'exercice des libertés démocratiques nécessite un engagement actif des citoyens.

▶ Les citoyens qui choisissent de s'engager au service de la **Défense nationale** participent aux opérations extérieures, mais peuvent aussi effectuer des missions d'intérêt général sur le territoire national (service civique…).

> **MOT CLÉ** La Défense nationale désigne l'ensemble des moyens et des actions mis en œuvre pour garantir la sécurité du territoire et de sa population.

Le jugement • L'engagement

1 La lutte contre les discriminations

Reliez les types de discriminations aux groupes de personnes discriminés.

1. Raciale •
2. Antisémite •
3. Xénophobe •

4. Sexiste •

• a. Contre les personnes de l'autre sexe.
• b. Contre les personnes de religion juive.
• c. Contre les personnes d'une autre couleur de peau.
• d. Contre les personnes étrangères.

2 Le principe de laïcité

À l'école, la laïcité permet :
☐ a. de porter des signes religieux.
☐ b. de ne pas suivre certains enseignements.
☐ c. de discuter des différentes religions.

3 Qu'est-ce qu'une démocratie ?

Classez ces caractéristiques selon qu'elles appartiennent à la démocratie ou à la dictature.

1. Séparation des pouvoirs.
2. Opposants emprisonnés.
3. Parti unique.
4. Égalité politique.
5. Existence d'une Constitution.
6. Pas d'alternance politique.

4 Assurer la sécurité de tous

La présence des hommes crée :
☐ a. l'aléa naturel.
☐ b. le risque naturel.
☐ c. la catastrophe.

5 Les engagements internationaux de la France

	Vrai	Faux
1. La France intervient davantage en Asie qu'en Afrique.	☐	☐
2. Le but des APD est d'aider des pays à se développer.	☐	☐

1) *La lutte contre les discriminations* Fiche 62

1. c. 2. b. 3. d. 4. a. Il existe d'autres critères de discrimination interdits par la loi comme l'âge, l'état de santé, le physique, le lieu de résidence ou encore l'orientation sexuelle.

2) *Le principe de laïcité* Fiche 63

Réponse c. Les élèves sont libres d'avoir leurs propres convictions mais ils ne doivent pas les manifester par des signes religieux trop visibles et les utiliser comme prétexte pour ne pas assister à des enseignements. Ils peuvent discuter des religions, notamment lorsqu'elles sont abordées en cours (comme en histoire). Depuis 2013, la Charte de la laïcité à l'école, affichée dans tous les établissements scolaires français, rappelle ces différentes règles.

3) *Qu'est-ce qu'une démocratie ?* Fiche 64

Démocratie : **1. 4. 5.** Dictature : **2. 3. 6.**
Pour affirmer qu'un pays est bien démocratique, il ne suffit pas d'étudier sa Constitution : même si le pluralisme politique est reconnu par la loi, les partis d'opposition peuvent en réalité se trouver dans une situation dans laquelle il leur est impossible de gagner des élections.

4) *Assurer la sécurité de tous* Fiche 66

Réponses b. et c. C'est la présence des hommes qui transforme un aléa naturel en risque. Ainsi l'inondation est le risque naturel le plus répandu en France (une commune sur deux y est exposée) car de nombreuses résidences sont construites dans des zones inondables. On parle de catastrophe lorsque les dégâts (matériels et humains) sont particulièrement importants.

5) *Les engagements internationaux de la France* Fiche 67

1. Faux. La France est plus engagée en Afrique pour des raisons historiques (beaucoup de pays africains sont d'anciennes colonies françaises) et stratégiques (ce sont des pays proches de l'Europe).

2. Vrai.

Le jugement

La laïcité

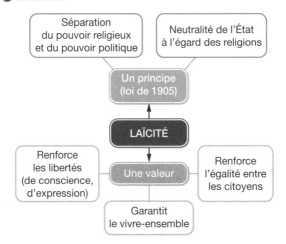

Séparation du pouvoir religieux et du pouvoir politique

Neutralité de l'État à l'égard des religions

Un principe (loi de 1905)

LAÏCITÉ

Une valeur

Renforce les libertés (de conscience, d'expression)

Renforce l'égalité entre les citoyens

Garantit le vivre-ensemble

LES DÉFINITIONS CLÉS

démocratie	Régime politique dans lequel la souveraineté émane du peuple. Dans une démocratie représentative, les citoyens expriment leur volonté par l'intermédiaire de représentants élus.
discrimination	Fait de traiter différemment (généralement plus mal) une personne ou un groupe par rapport au reste de la collectivité en prenant prétexte d'une différence (religieuse, sexuelle…).
séparation des pouvoirs	Principe selon lequel les trois grandes fonctions de l'État (exécutive, législative et judiciaire) sont chacune exercées par des organes et des personnes différents.

L'engagement

● Le sens de l'engagement citoyen

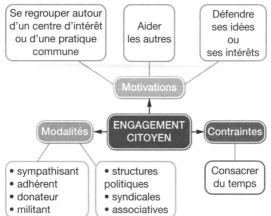

association	Groupement de personnes dans un but ou un intérêt commun (qui ne doit pas être l'enrichissement personnel des membres).
parcours de citoyenneté	Il comporte pour chaque jeune Français trois étapes obligatoires : – l'enseignement de la Défense (au collège et au lycée) ; – le recensement (à 16 ans à la mairie de son domicile) ; – la Journée défense et citoyenneté (avant l'âge de 18 ans).
sécurité	Situation dans laquelle une personne n'est pas exposée à un danger. Elle est aujourd'hui considérée comme un droit.

Récap' express

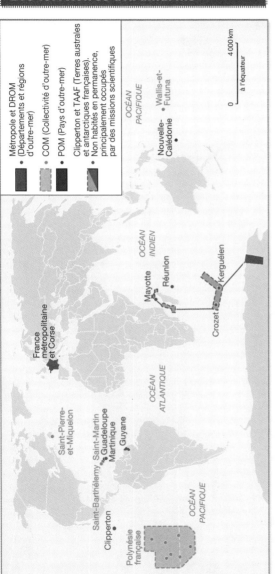

Les territoires ultramarins

Métropole et DROM
(Départements et régions
d'outre-mer)

COM (Collectivité d'outre-mer)

POM (Pays d'outre-mer)

Clipperton et TAAF (Terres australes
et antarctiques françaises).
Non habités en permanence,
principalement occupés
par des missions scientifiques

0   4 000 km
à l'équateur

OCÉAN
PACIFIQUE

Wallis-et-
Futuna

Nouvelle-
Calédonie

OCÉAN
INDIEN

Mayotte

Réunion

Kerguélen

Crozet

France
métropolitaine
et Corse

OCÉAN
ATLANTIQUE

Saint-Pierre-
et-Miquelon

Saint-Martin

Saint-Barthélemy

Guadeloupe

Martinique

Guyane

Clipperton

OCÉAN
PACIFIQUE

Polynésie
française

Cartes et schéma clés

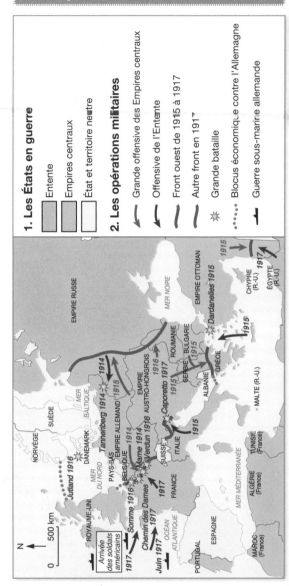

Cartes et schéma clés

L'Europe dans la 1ʳᵉ Guerre mondiale

1. Les États en guerre

Entente

Empires centraux

État et territoire neutre

2. Les opérations militaires

Grande offensive des Empires centraux

Offensive de l'Entente

Front ouest de 1915 à 1917

Autre front en 1917

✳ Grande bataille

•••••• Blocus économique contre l'Allemagne

⊢— Guerre sous-marine allemande